失われた30年を取り戻す

救国のニッポン改造計画

白井聡
雨宮処凛

ビジネス社

まえがき

雨宮処凛

「失われた30年」

バブル崩壊から今に至るまでのこの国を指す言葉だ。

30年前と言えば、1993年。この時約2割だった非正規雇用率は、今や4割に迫る勢いだ。

その間、賃金はどんどん下がって、1994年と2019年の世帯所得の中央値を比較すると、35歳から44歳では104万円減少。45歳から54歳ではその倍近くの184万円も減っている（経済財政諮問会議による調査）。そうして実質の平均賃金は2013年、お隣・韓国にも抜かれた。30年かけて、日本はすっかり「貧しい国」になってしまった。

そんな経済的地位の低下と反比例するかのようにこの国では「ニッポンすごい教」が幅を利かせるようになり、またこの30年、「政治の劣化」という言葉では言い表わせないほどの醜態があらゆる次元で晒(さら)されてきた。が、「有権者」といわれる人々はとっくにそれに慣れてしまい、今さら何が起きても驚かないくらいにはなっている。それほどに、この国には諦(あきら)めが蔓延(まんえん)している。

そしてこの30年、ずーっと前から警鐘を鳴らされてきた少子高齢化はさらに深刻化し、しかし、なんの手も打たれずに放置されてきた。今、「異次元の少子化対策」という手遅れな言葉が空疎に響いている。

「一億総中流」と言われていた時代にはうっすらわかっていた「幸せになれる方法」は失われ、今や「最低限、野垂れ死しない方法」すらわからなくなってしまった。

「それぞれが個別の能力で勝ち抜いてください。それができなきゃ野垂れ死にってことで」という自己責任社会は、「自分より怠けて楽して得してそうな誰か」を叩くというガス抜きを常時必要とするようになった。そうしてこの30年、公務員バッシングや在日特権バッシング、生活保護バッシング、障害者へイトや子連れへイトが繰り返され、今や「集団自決」の高齢者へイトにまでたどり着いた。

私も白井聡さんも、そんな「失われた30年」に社会に出たロスジェネだ。

ロスジェネ＝就職氷河期世代。1993年から2004年くらいまでに社会に出た層で、生まれ年はだいたい72～82年の約2000万人。ざっくり言うと2023年時点の40代とその前後が該当する。

そんなロスジェネの非正規雇用率はというと、35～44歳で27・4％、45～54歳では30・7％。「働き盛り」世代なのに、約3割が非正規だ。ちなみに女性に限ると35～44歳で48・4％、45～54歳で54・9％と約5割（2022年総務省「労働力調査」）。

国税庁によると、正社員の平均年収496万円に対して非正規は176万円。非正規男性が

２２８万円なのに対して、非正規女性は１５３万円。月収にすると13万円にも届かない額だ（２０２０年、民間給与実態統計調査）。

そんなロスジェネは当然、未婚率も高い。

２０２０年の国勢調査によると、40～44歳の未婚率は26・9％。私が生まれた１９７５年の生涯未婚率は男性２・１％、女性４・３％だから相当な違いだ。

そんなロスジェネの一人である41歳（当時）の派遣労働者・山上徹也が２０２２年７月８日、安倍元首相を銃撃した。その18日後、秋葉原で無差別殺傷事件（２００８年６月）を起こした元派遣労働者の加藤智大の死刑が執行された。享年39。彼もロスジェネの一人だった。

本書は、「失われた30年」を入り口に、白井聡さんと縦横無尽に語り合ったものだ。

きっかけは、２０２２年12月16日、辻恵さん（弁護士、元衆議院議員）が主催した「12・16カルトゆ着の政治を終わらせ、統一地方選勝利・岸田退陣拓く討論集会」（大阪・福島区民センター）。ここでの白井さんとの対談をきっかけに、刺激的な対話が始まった（辻さんに感謝！）。

なぜ今、防衛費増大なのか、そしてロシアによるウクライナ侵攻や、中国とアメリカの思惑、日本の原発回帰、インセル、統一教会と自民党の関係など話題はあまりにも多岐に渡る。

最後まで、お楽しみいただきたい。

第1章　ロスジェネ、失われた30年

第2章 病み、壊れゆく、ロスジェネの闇

第3章 右翼とカルトと国体と

第4章 米中危機と暴走する自民党政治

第5章 起て、ロスジェネ！　点火せよ、怒りを！

あとがき

第1章

ロスジェネ、失われた30年

出会いは映画『遭難フリーター』

雨宮　お互いに自己紹介からしたほうがいいですね。

白井　私たち2人について、あまり知らない読者もいるでしょうし、お互いに「何者なんだ」というあたりから始めましょうか。

私は1977年生まれ。早稲田大学の政治経済学部政治学科を出て、その後一橋大学の大学院に行きました。博士課程までやって、研究者になりました。今は京都精華大学というところで在職しています。専門は、政治学と思想史です。

雨宮　私は1975年、北海道生まれで、フリーターなどを経て2000年に『生き地獄天国』（2000年、太田出版）で物書きデビューしました。2006年からは貧困問題をメインテーマに取材、執筆しています。また困窮者支援の現場で相談員をすることもあります。肩書きは「作家・活動家」です。

白井　雨宮さんは、北海道のどちらの出身ですか。

雨宮　札幌と旭川のあいだにある滝川（たきかわ）市です。昔は炭鉱で栄えて、飲み屋がけっこう多かったんですが過疎化が進んでいます。今は両親と弟家族が暮らしています。白井さんは？

白井　僕の出身地は東京で、神奈川県暮らしが長かったです。家族構成は、3人兄弟で上の2

人が姉です。上の姉が７つ上で、彼女が就職活動をした年がまさに就職市場が反転した年でした。１９９３年入社です。

雨宮　就職氷河期からギリギリ逃げ切れた最後の世代。

白井　上の姉は、まだ恵まれていた時代ですね。それまではバブル期で、企業が学生を接待して、内定者を囲い込むために海外旅行に行かせる企業があったくらい、とんでもない売り手市場だった。それがまさに彼女の学年の時、反転した。

反転したといっても、その時代はまだいいほうで、４つ上の２番目の姉と僕はもうもろに就職氷河期です。どん底って、いつごろだったのかな。

雨宮　１９９１年にバブルが崩壊して、同年、お立ち台で有名なディスコの「ジュリアナブーム」が来ます。１９９０年代はバブルっぽさがまだ残っていて、97年には日本の平均賃金がマックスになる。ただ、就職自体は90年代半ばから、どっと悪くなりました。

その頃から「失われた30年」が始まった。最初の頃は「失われた10年」と言われていたのが、もう30年。その間、多くのロスジェネはずーっと辛酸を舐(な)めているわけです。ちなみにロスジェネとは、朝日新聞の定義だと１９９３年から２００４年に社会に出た世代で、だいたい今の40代と思ってもらえばいい。私も白井さんもロスジェネです。

白井　そうですね。僕と雨宮さんが出会ったの、いつでしたっけ？　10年くらい前に一緒に飲んだことがありましたよ。

雨宮　ドキュメンタリー映画『遭難フリーター』（岩淵弘樹監督・主演、2007年）の上映会の時ではないでしょうか。東北に住んでいた私の友人が埼玉のキヤノンの工場で派遣で働くようになって、それが本当に典型的な製造業派遣ワーキングプア的状況だったので、その日常を彼自身がドキュメンタリー映画にしたんです。それが『遭難フリーター』でした。

白井　プロレタリア文学のアンソロジー本『アンソロジー・プロレタリア文学〈1〉貧困―飢える人びと』（森話社、2013年）の企画があって、映画の上映もそれに絡んでいた。映画の上映後に雨宮さんとトークをしましたね。

雨宮　思い出した！　白井さんが「映画に出てくる食べ物が全部まずそう」と言ったんです。彼が食べている牛丼とか、ホカ弁とか（笑）。

白井　ああ、思い出してきた（笑）。本当に食い物に不幸がよく表れていたんですよ。

雨宮　ある意味、「ザ・フリーター飯」みたいなものばかり食べてて、また本人もまずそうに食べるんです。クリスマスイブに1人で食べる牛丼とか。その上映会の後日、集英社の編集者と白井さんと食事して、そこにたまたま重信メイさん（日本赤軍元最高幹部・重信房子氏の娘）も来てくれて、さらに山本太郎さん（れいわ新選組代表）も合流した。

白井　そうでした。なんか、ものすごい会ですね。その時僕は初めて山本太郎さんに会ったのでした。雨宮さんの存在は、もちろんその前から知っていました。いろいろと境遇とか、キャリアとか僕とは当然違うんですが、著作を読んで「ああ同時代の経験をしている人だな」とすごく感じていました。

とりあえず右翼に行ってみた！

雨宮　「同時代の経験」とは、どんなイメージですか。

白井　僕も、雨宮さんも、世の中に対する違和感みたいなものがあったはず。自分が大人になった時の日本は、なんか「おい、話が違うぞ」という感じだった。こんな世の中で生きていかなきゃならないはずじゃなかった、と。

しかも、年々状況はますます悪くなってゆく。閉塞とか停滞とか、時代のキーワードはそんなのばかり。一体どこへその憤りをぶつければいいのか、どこでそれを叫べばいいのか、よくわからないわけです。雨宮さんの場合はとりあえず、右翼団体に行ってみた（笑）。

雨宮　とりあえず右翼（笑）。そうですね。私は１９９５年に20歳だったんですが、95年は阪神淡路大震災（1月17日）と地下鉄サリン事件（3月20日）と戦後50年が重なった激動の年でした。なんだか、戦後日本が問い返されたというか、1月に震災で一夜にして戦後日本の繁栄的なものが崩れ、それを下支えする価値観が3月、サリン事件で崩れた気がしました。少し年上のオウム信者たちは物質主義や拝金主義的なものをことごとく批判したように見えて、テレビでコメンテーターたちが、戦後日本の価値観は間違っていたのかもしれないなんて言い出した。

そうして自分を省みたら、先の見えないフリーター。学校では「頑張れば報われる」と受験戦争に駆り立てられてきたのに、バブル崩壊で「どんなに頑張っても報われない」社会になっていて、はしごを外された感覚でした。

ちなみに当時の私は高校を出て単身上京して美大の予備校に通ったものの、美大を二浪したところで進学を諦めてバイトを始めて1年目という時でした。フリーター生活を半年もする頃には、どうやってもこの生活から抜け出せないことを痛感していました。

なので、「努力は報われる」という嘘をついた教育に対して裏切られたような被害者意識がありました。なんだか1人で焼け野原に放り出されたような感覚で、そこに大震災は起きるしオウムのサリン事件は起きるし、その上、気がつけば就職氷河期で、日本は普通に就職することも難しい世の中になっているし、これからは政治や社会のことを真剣に考えないといけないのかも、と思ったんです。

それで、よく知らないけど右翼とか左翼という人たちは社会に怒ってるっぽいから話を聞いてみようかなと思ったんです。で、まず左翼の集まりに行ったら専門用語ばかりでちんぷんかんぷんで、次に右翼に行ったら、「お前らが生きづらいのはアメリカと戦後民主主義のせいだ!」と言っていて、初めて大人に「免責」された。それで戦後民主主義の意味も知らなかったのに右翼に入りました。2年でやめましたが。

白井 右翼でしばらくやってみたけれど、どうもおかしい。この人たちは「天皇陛下万歳」と言っているが、実は天皇を利用しているだけじゃないか。

そこで右翼をやめて、世間的に見ればまったく政治的傾向が逆の陣営に行った。その来歴や現在に至るまでの話を読んだりすると、ひじょうに素直な心を持った方だなと思いました。

雨宮 ありがとうございます（笑）。

白井 自分に正直というか、違和感を持ったら、「これはおかしいぞ」とその感覚を大事にして、自分の生き方や考えを軌道修正していける。そういう雨宮さんみたいな人とは、僕も一緒に何かができると感じました。僕と出会った頃、右翼団体をやめて、どのくらい経っていたんですか。

雨宮 もうだいぶ経っていました。やめたのは1999年で、2000年に1冊目の本である自伝的エッセイ『生き地獄天国』（太田出版）を出しました。それで2006年から貧困問題に関わりだした。白井さんとお会いしたのは2013年、東日本大震災の後でした。『永続敗戦論　戦後日本の核心』（太田出版）を出版したのはいつですか。

白井 2013年の3月ですね。

雨宮 ということは、お会いしたのはその後です。『永続敗戦論』はすごく話題になりましたね。私のまわりで一緒に運動やっている人も、みんな注目して、その本の話で持ち切りでした。もちろん私も読んで、漫画『マンガでわかる永続敗戦論』（白井聡著、岩田やすてるマンガ、朝日新聞出版、2015年）も読みました。「すごく頭のいい真面目(まじめ)な学者さんだ」と思っていたら、お会いすると堅い印象はまったくなく、イメージが変わりました。

白井　どうも書くものと会った時の印象のギャップが大きいらしい（笑）。まあともかく、僕は「自分はどこどこ派」とかないんです。昔だったらその最たるものが「党派」になるんでしょうが、僕は何々陣営とか関係ない。

でも、そういう自己規定でがんじ絡めになる人は、いっぱいいるわけです。党派なんて廃れたからもうそんな必要もないだろうと思いきや、現代ではそれがポジショントーク（「立ち位置」を過剰に意識した発言）の形になっている。それを商売にしている人もいっぱいいます。それこそロスジェネ世代になってそういう傾向は強まったのではないでしょうか。ポジショニングでメシが食えるならそうしよう、というわけです。

ポジショントークをやっているのか、きちんと自分の中に軸があって、それでものを判断しているのか、ほとんど直感的にわかります。結局ポジショニングでやっている人とは話をしてもしょうがないし、付き合っても意味はない。友情が成り立ちませんから。

「この人とはきちんと付き合えそう」というのは、雨宮さんの本を読んだ時に感じましたから、「会ってみないか」とトークの打診を受けた時はすぐに受けました。実際にお会いして話してみると、思った通りの人だった。

雨宮　私は白井さんに対して、学者さんだから、もっと難しい話をする人かと思ったら、いい意味で違った。学者さんというより活動家っぽいというか、一切守りに入らずに言いたいこと、言うべきことを言う、むちゃくちゃ闘う人ですね。

白井　言いたいことを好きなように言うために学者になったわけですからね。会社員だったらそうはいかないわけでしょ。自分が言うべきと思ったことを言うのは、自分の欲望だけど、社会的義務でもありますす。立場上言えない人がたくさんいるわけだから。闘うことも同じですね。闘う義務がある。

ただ、喧嘩（けんか）を売る相手は自分より強い者だけに限ることを自分に課しています。売られた喧嘩は別ですが。相手は強いので、勝てない。しかし、負けてはいない。そう簡単に勝てないけれど、決して完全に負けてしまわないというやり方が大事かな。

ロスジェネはものを言わない世代

雨宮　朝日新聞がロスジェネと名付けたのが2007年でした。そこから「ロスジェネ」という言葉が注目され、「ロスジェネ論壇」なんて言い方もされるようになりました。

白井　フリーライターの赤木智弘さんの「『丸山眞男』をひっぱたきたい　31歳、フリーター。希望は、戦争。」（『論座』2007年1月号）ですね。

雨宮　不遇の世代として注目されてきましたが、そんなロスジェネはものを言わない世代だとも思います。2015年の安保法制の反対運動では、当時の大学生たちによって「SEALDs

（シールズ）」（「自由と民主主義のための学生緊急行動」）が結成され、注目されました。ですが、あの時の運動にもロスジェネは少なかったですね。現場に行っても高齢の方とSEALDs世代で、ロスジェネがスポッと抜けていた。

運動どころじゃないほどに生活が大変という人もいるでしょうし、正規雇用であれば長時間労働で、子育て中だったりしたらやはりそれどころじゃないと思います。が、何よりもロスジェネには根強い諦め感があると思います。冷笑的な態度をとることがスタンダードな世代というか、バブル崩壊からずーっと苦しめられてきているので、「どうせ何をやっても変わらない」という絶望があるというか。

白井　それ、わかります。物を言わぬ人々っていう感じになってしまった。ロスジェネ世代は、いじめにいじめ抜かれた。その結果、シニカルになった人も多いのでしょう。

言論人レベルで見てみると、テレビでよく見かける人たちですが、まあヒドイのが多い。もちろん、この間メディアがとりわけ劣化したので、そういう人たちを特に好んで使っているという面もありますが。批評家の東浩紀（あずまひろき）氏、１９７１年生まれの彼はロスジェネに入るか入らないかみたいな年代ですが、彼が象徴かもしれない。怒るべきものに対して、ストレートに怒らないんです。それが3・11以降にはっきりしましたね。怒らない代わりに、なんかどうでもいいことをグチャグチャ言い募る。東氏あたりからこの作法が広まった感じがありますね。

しかしまあ、ロスジェネはまだグチャグチャと小理屈をこねるくらいの元気はあった。今の大学生や20代は、落ち目になった日本しか知らない。だから、「ま、こんなもんか」と思っているところが多分にある。今の大学生は、それこそ物心ついた時には「安倍晋三首相」でしょう。「総理大臣や自民党は、こんなもんだろう」と受け止めても仕方がない。

先輩方のお子さん方、ハイティーンや成人した若者を見ているとよく感じるんです。「親はこんなに元気なのに、子どもは元気がないなあ」と。

雨宮　確かにロスジェネもそうですが、それより下のゆとり世代、さとり世代、ミレニアル世代、Ｚ世代もなかなか声を上げませんよね。「ＳＥＡＬＤｓ」や「エキタス」（最低賃金１５００円を求めるグループ）、気候変動の問題に取り組む一部Ｚ世代といった例外はいますが。

白井　いつの間にか、「逸脱」への社会全体の忌避感が凄（すさ）まじいことになりました。「ちょっとグレるくらいならまあいいんじゃない、水戸黄門も若い頃は、グレていたらしいし」みたいな常識的な感覚が完全に過去のものとなった感があります。大学生を見ていると、とにかく元気がない。日本社会全体が生命力を否定する時代になり、そのなかで育つことを強いられた結果なのでしょう。

こうなってしまったことの背景として、経済停滞の影響は大きいでしょうね。われわれの世代は、バブル経済の一番良かった時代を知っています。この30年間、日本がどれだけ没落したのか、それも知っている。

雨宮　うん、わかる、わかる。すごく剝奪感（はくだつかん）がありますが、若い世代はそもそも良かった時を知らないのでそれがない。

白井　とりわけ僕らの世代が大人になってから、この20年間がひどい。だってこの国は、間違ったことしかやっていませんから。いくつも選択肢があって、「これは最悪だから、絶対に選んじゃいけませんよ」という選択肢だけを選んでやってきたようなもの。ここ20、30年はまさにそう。それをずっと見てきている世代がロスジェネだし、その被害も受けてきています。それで発生してしまった諦めムードが、さらに濃厚になって下の世代に伝わるような状況になっているかもしれません。

人口減少の先にある絶望社会

雨宮　諦めもしますよ。地元に帰って知り合いと話すと、正社員でも普通に月収10万円台とかですから。40代までずっと頑張って働いてきても、地方ではこんな状態です。本人たちも、「バカにされてる」と言いますが、だからといって何かをすれば変わるという期待もない。

白井　日本は今、急激な人口減少に直面していて、2022年の出生者の数が80万人を切りました（79万9728人、2021年の合計特殊出生率1・30）。しかもこれから、団塊ジュニアは老年に差し掛かってきて子どもはつくれなくなってくるので、さらに少なくなっていく。

雨宮　ほんとですね。

白井　これだけ急速に人口が減少したら、社会システムがすべてもつわけがない。年金制度にしても、人口が増えることを前提につくられている。こうなると社会システムを維持するためには、外国から人を入れていくしかない。

ちょうど今、歴史人口学者のエマニュエル・トッドの新刊『我々はどこから来て、今どこにいるのか？』（文藝春秋、2022年）を読んでいます。トッドの考えでは、アングロサクソン的なリベラリズムが力を持つと男女同権になり、女性の高学歴化も進んでいく。それによって出生率はどうなるのか。アメリカ、イギリス、北欧では、下がりつつも、なんらかの対策を打ってどこかで歯止めがかかる。ドイツや日本はドカーンと落ちてどこまで落ちるのか見えない。韓国、中国、台湾の出生率の低下もすごい。

雨宮　岸田文雄政権の「異次元の少子化対策」ではとても追いつかない。そもそもこれほど不安定雇用が広まって非正規雇用率が2022年で4割近くある。半年先の自分が何をしているかわからない人が結婚や子育てに前向きになれるはずがない。

白井　僕はこの問題について、アングロサクソン的なリベラリズムというより、資本主義の高度化、教育の高度化全般くらいまで広げて考えたほうがいいと感じています。高度教育社会になると晩婚化が進む。このような社会形態になると、ヨーロッパだとドイツ、東アジアだと日本を含むほぼすべての国で、止まらない少子化が進行します。

雨宮　解決策はないんですか。

白井　トッドの考えでは、資本主義が高度化すると価値観はリベラルになって、そのリベラルな価値観に基づいた少子化対策がなされるわけです。そもそもアングロサクソン系やフランスでは価値観がリベラルで平等主義的なので、対策がそれなりに機能し、少子化の進行に歩留まりが現われる。これに対してドイツや日本は、表層的にはリベラルになっても、社会の深層レベルには権威主義的なものがあるので、リベラルな少子化対策があまり機能しないというのです。それで少子化が止まらなくなる。

そのような日本社会でどんな少子化対策が有効なのか、試行錯誤しなければならなかった。ところが、試行錯誤どころか、何もしなかった。正確に言えば民主党政権の時、子ども手当をやって、これは本格的な取り組みだったのですが、あっと言う間に骨抜きにされ、自民党政権になって廃止された。

おそらくは、リベラルな少子化対策と、伝統的価値観に基づく少子化対策と、両方をやらなければならないのだと思います。しかしもう、ロスジェネ世代には手遅れになりつつあります。

雨宮　就労の対策もロクにしていない。

白井　そうですね。就労の部分を改善しないとどうにもならない。けれども、こちらももう長期的なキャリア形成を展望して、というような年代を私たち世代は過ぎてしまっています。となると、ロスジェネ世代には、救貧対策しか残らない。今の官僚は、救貧対策すら考えていないかもしれません。

雨宮　「こいつらは甘えているだけ。自己責任。以上」でしょうね。

白井　となれば、後に残るのは、絶望した個人の直接行動、つまりテロ行為です。すでにそうした気配を漂わせる事件が何件も起きています。

追い込まれていく女性たち

白井　雨宮さんは長いあいだ、困窮者支援、貧困問題に取り組んでいます。この20年ばかりを振り返ると、リーマン・ショックの年である２００８年の年末の派遣切りにあった人たちを支援する「年越し派遣村」など、いろいろありました。コロナ禍であの頃よりも、もっと深刻な貧困が蔓延(まんえん)しているように感じますが。

雨宮　ひどくなるいっぽうです。コロナ禍が始まってすぐの２０２０年4月から隔月で、弁護士や支援者がボランティアで無料の電話相談を3年にわたってやっています。

　私もこの電話相談で相談員をしているのですが、最初の頃は「休業手当は出るのか」など労働相談が多かったのが、今は生活苦の相談が中心になっています。相談者に占める無職者も増えている。ようは失業し、それが長引いている。それで預貯金を食いつぶしている状態なのに、それも尽きてきている。家賃や住宅ローンの滞納や借金の相談も増えています。残金が50円、電気やガスも止まった、という相談もあります。

そんなふうにただでさえコロナで大変な中、2022年からの物価高騰です。この数カ月は「物価高で年金だけじゃとても暮らしていけない」「物価高騰で光熱費が上がって大変」「もう5日間も食事をしていない」など本当に切実な声、悲鳴が届き続けている状態です。

炊き出しや食品配布の光景もだいぶ変わりました。

コロナ禍以前から、東京都庁前では困窮者支援団体の「自立生活サポートセンター・もやい」と「新宿ごはんプラス」が食品配布をしていて、今も毎週土曜日にやっているんですが、新型コロナ前、並んでいたのは近隣で野宿する中高年男性が80人くらいだった。それが23年4月には、723人が並びました。多くが家がある人で、子連れの母親や若いカップルなどもいます。コロナで失業したり減収したりし、なんとか住まいを失わないよう家賃を最優先で払っているものの、1食分でも節約したいという人たちです。

コロナ禍から時間が経てば経つほど、困窮の度合いは厳しくなっている。それが一貫した傾向ですね。それなのに、なんとなくもうコロナは収束っぽいムードになっている。さまざまな支援策も打ち切られ、困窮者に最大200万円を貸し出す「特例貸付」も終了となり、23年1月からは返済が始まりました。が、とても返せないでしょう。というか、コロナ禍での困窮者支援のメインが給付ではなく貸付だったこと自体、おかしいのですが。

白井　とてつもないですね。コロナ以前には貧困ではなかった層が、崩れ落ちるようにして助けが必要な状況に追い込まれてしまったことがよくわかります。そうした報告に接すると、コロナ対策でさまざまな給付金が出されたけれど、届くべきところに全然届いていない実態がわかります。

それで雨宮さんがやっているような民間の支援団体が、よく言えば大活躍しているわけだけど、逆に言えば、これって国家が任務放棄しているからでしょう。思い起こせば、民間の支援団体の活動がクローズアップされた始まりが「年越し派遣村」でした。もう10年以上前ですよね。

雨宮　15年前ですね。２００８年はリーマンショックがあった年で、それによって日本中に派遣切りの嵐が吹き荒れた。特に製造業派遣で働く人が切られた。

年末に職を失い、同時に寮も追い出され、所持金も行くあてもない人たちが大量に生まれるだろうと予測した労働組合や困窮者支援団体の人たちが集まって、厚生労働省の前にある日比谷公園で６日間（２００８年12月31日〜09年１月５日）、「年越し派遣村」を開催したんです。集まったのは５０５人。公園の吹きっさらしのテントで年を越し、６日間を過ごしました。この派遣村の様子は連日マスコミに報道され、社会に大きなインパクトを与えました。

そんな派遣村に来た５０５人のうち、女性は５人、１％。

ですが今、困窮者支援の現場には女性が非常に増えています。２０２０年末から21年の年明けの３日間、派遣村有志が「コロナ被害相談村」という相談会を開催して私も相談員をしたところ、３４４人来たうち、女性は62人で18％。そのうち29％がすでに住まいがなく、42％が収入ゼロ、21％が所持金1000円以下でした。コロナ禍は飲食・宿泊などサービス業に大打撃を与えましたが、飲食・宿泊で働く人の6割以上が女性。その多くが非正規です。

結局、日本のサービス業は非正規女性が低賃金で担っていて、そんな女性たちがコロナ禍でなんの保障もなく放り出されたのです。貯金もできないような賃金なので、あっという間に困窮してしまった。その翌年、21年12月31日と22年1月1日の「年越し支援・コロナ被害相談村」には2日で418人が来て、女性は89人、21％でした。

ちなみに2020年3月、私が世話人をつとめる反貧困ネットワークが呼びかけて「新型コロナ災害緊急アクション」というネットワークが立ち上げられ、3年以上メールで相談を受けています。今まで約2000件のSOSメールが来ていて、そのうち約2割が女性からのものです。相談内容は男女問わず厳しく、「昨日ホームレスになった」「もう3日間何も食べていない」などです。

なぜ、15年前はわずか1％だった女性が20倍に増えたのか。その背景にはこの15年で家族福祉的なもの、企業福祉的なものが破壊されたことがあると思います。社会から女性を守る余力が失われた。例えば企業も、女性だから寮から追い出すのを少し待つとかしていたのが、それもなくなった。実家に帰るなど家族に頼れていた人も、家族にも支える余裕がなくなった。そういうことがあちこちで起きているんだと思います。

そんなふうに現場に女性が増えたので、この3年は、私も駆けつけ支援（SOSメールをくれた人のもとに駆けつけ、公的制度につなげる）をしたり、生活保護申請に同行したりしています。女性には女性の支援者がついたほうが安心という声も多いのです。

白井　貧困の質が変わってきているのですね。自殺率の推移を見ても、コロナ禍による貧困化は、明らかに女性に対するダメージが大きいことがわかります。

雨宮　あとコロナ禍では、水商売や風俗で働く女性からの相談も増えましたね。これまではまったくと言っていいほどなかったんですが。

収入が減って困っているという相談だけでなく、「寮を追い出される」という相談もありました。風俗で働く人は寮に住んでいることが多いので、お客さんが全然来ないと収入がない。それなのに寮費は取られる。その寮費を払うために別のバイトをする。それでも払えず、「もう今週追い出されるんです」という状態でメールが来る。

話を聞いて驚いたのは、その人は東日本大震災の時も同じ目に遭っていたということです。被災地ではないですが、自粛ムードの中で全然お客さんが来なくなり、寮を追い出された。この国には感染症の流行や災害、またはリーマンショックのような経済危機のたびに、生活を根こそぎ破壊される人たちが一定数存在するんです。

白井　今、保健当局が警告を発しているとおり、東京を中心に梅毒がひじょうに流行（はや）っているんです。その理由はどうやら売春です。これは明らかにコロナがもたらした光景です。風俗で働く人も増えているわけですが、店に勤務せず、自力で客を取る人もいる。ＳＮＳを通じてであったり、いわゆる立ちんぼ行為で客を取る女性が増えている。どうもそこが発生源になって、梅毒が大流行しているという。一体いつの時代の話だよ、と感じますよね。大不況で花柳病が大流行って明治時代とか戦前昭和の時代の歴史の話かと思いきや、令和の話なんです。日本がいかに貧困化したのかを物語る事実です。

雨宮　本当ですね。あと、女性からの相談の中には、望まない妊娠の相談もあります。住まいを失い、ネットカフェで寝泊まりしながらやむなくお金のために、というケースです。

ただ、女性の困窮は今に始まったことではなく、コロナ禍以前から多くの女性は貧困と隣り合わせでした。

例えば2020年の非正規の平均年収が176万円で、女性非正規に限ると153万円。月収にすると13万円以下です。これで1人暮らしだったら貯金なんか絶対できない。こうした女性のニーズに応えるような脱法的なシェアハウスも増えています。シェアハウスは若い女性が多く住んでいます。その理由は初期費用が安いことと、賃貸より家賃が比較的安いことでしょう。ですが、普通の賃貸物件と違い、わずか1カ月の滞納で追い出されてしまうこともあります。

コロナ禍の初期の頃は、若い女性がシェアハウスから追い出されたという相談が多くありました。

貧困のカジュアル化？

雨宮　コロナ後の特徴としては、女性とともに若い世代が増えました。15年前の「年越し派遣村」の頃は、中・高年の男性、50代、60代が大半でした。

先ほど「新型コロナ災害緊急アクション」の話をしましたが、このメールフォームには連日メールが届きます。多い時で1日に5、6件。「1週間何も食べてなくて、路上にいて寒くて凍死してしまう」「自殺しようと思って荷物も全部捨てたが死に切れなかった」など、こうしたメールをくれる人の6割が10代から30代の若い世代です。また、これまでの約2000件の約2割が女性、そして19・4％の人が所持金100円以下です。

2007年、「ネットカフェ難民」という言葉が流行語大賞にノミネートされました。家なき若者たちの姿は当時は衝撃を持って受け止められましたが、今はネットカフェ暮らしは不安定層にとっては当たり前のことになっています。カジュアルに家がないというか、もう結構、普通のことになっている。家がなくなったくらいではそんなに焦らないというか、先ほどのSOSメールをくれた約2000件のうち、「住まいがない」人は7割以上。携帯が止まっているのは4割以上。携帯がないと仕事も探せないので、焦り出すのは携帯が止まってからですね。

白井　どんどん次元が違ってきている。ネットカフェ難民の存在は、あれだけ大きなニュースとなって衝撃をもたらしたわけです。ところが、いつの間にかそうした状況に慣れさせられてしまっているというか、日常化して当たり前になってしまっている。貧困がカジュアル化して、困窮者の存在があまりニュースにならなくなってしまいました。

雨宮　２０１６年11月から17年1月の東京都の調査では、都内だけで１日あたりネットカフェ難民が約４０００人という数字が出ています。

私はこの3年間、１９８６年に施行され、２００４年に製造業派遣まで解禁された労働者派遣法の破壊力をまざまざと見せつけられている気分です。企業側が雇用を不安定化させることによって、住まいを確保できない人が増えた。例えば寮付き派遣で働いていると、次も寮付きの仕事が条件になりますよね。家を借りる初期費用がないから、職と住がセットでないといけない。そういう仕事はだいたい派遣なので、寮付き派遣のループから抜け出せない。

そうした中で、次の仕事が決まるまでの間、ネットカフェ暮らしとなることもある。それが長期化して、日雇い派遣をしながらネットカフェ生活を続けている人もたくさんいる。そういう状態の人がコロナ禍で仕事が途切れ、とうとうネットカフェ代も払えず路上に出ているというのがこの3年間で起きていることです。

白井　まさに政治はそれに向き合わなきゃいけないわけです。先ほどのコロナ禍による困窮者の大量発生とその支援という話もそうですが、政治の無策は明らかでしょう。コロナ禍で出てきた経済対策が旅行支援であり、飲食業への給付金、その他業績が悪化した企業への給付はありました。安定した生業を持った層が困難をかかえていることに対しては、それなりに手厚い対策が打たれているんですよね。お金もたくさん使った。

ところが、そもそも安定した生業を持っていない層、その日暮らし的な生活を送らざるを得ない層が困窮していることに対しては、まことに不十分な対処しかされていない。

雨宮　彼ら彼女らが住まいを取り戻すまでの支援も必要です。例えば住まいを失った状態で生活保護申請をすると、コロナ以前は「無料低額宿泊所」に入れられることが多かった。相部屋だったり、衛生的に問題があったり、また食費や家賃として生活保護費のほとんどを取り上げられたりと、問題のある施設が多いことで有名です。それで多くの人が逃げ出して路上に戻ってしまう。一度このような経験をすると「生活保護を受けると、またあの施設に入れられる」と強い忌避感を持ってしまいます。

ですが、コロナ禍ではこれが変わりました。東京都内では、住まいがなくて生活保護を申請した場合、交渉すれば1カ月ほどビジネスホテルに泊まることができたんです。その間に仕事やアパートを探し、アパートに転宅するという流れです。生活保護費からは転宅費も出るので初期費用がまかなえる。これによって、多くの人が生活を再建できました。中には10年間のネットカフェ生活を終え、10年ぶりに自分の部屋を持てたという人もいます。

このホテル利用は非常にありがたかったんですが、２０２２年10月、厚労省がホテル利用を著しく制限する内容の通達を出しました。これによってホテル利用は11月から難しくなり、再び無料低額宿泊所に入れられる人が増えてしまったんです。

背景にあるのは、旅行支援ではないかと言われています。旅行支援によってホテルの値段が高騰し、またホテルもなかなか取れなくなった。余裕がある旅行者は支援するけれど、住まいのない人は路上に放置するという方針転換ですね。

白井 岸田政権肝煎り(きもい)の「全国旅行支援」(国土交通省観光庁)ですね。小金を持っている人は公金からの支援を受けられるが、何も持っていない人は何も貰(もら)えないという……。

雨宮 これほど格差社会を象徴するグロテスクな光景はないと思います。

白井 トリクルダウンの発想なんですよね。生業のある層の経済生活が維持されれば、その下の層にもカネがしたたり落ちていくだろう、という発想です。しかし、トリクルダウンが機能するかどうかすでに怪しいし、仮に正しいと認めたとしても、したたり落ちて来るのを待っていられない状況があるのに、それに向き合う気はない。

雨宮 まだあります。東京都では水道料金の滞納による給水停止が倍増しているんです。共産党の和泉なおみ都議の質問で明らかになりましたが、2021年の給水停止が10万5000件だったのに対し、22年4~9月だけで9万件にのぼっています。

白井 水道の停止は人の命に関わるから、そんなに簡単にはされないと言われてきました。でも、もう過去の話なんですね。

雨宮 そんなことはお構いなしです。これまでは水道料金を滞納している人には検針員が何度も訪問し、場合によっては福祉につなげるという委託業者をやっていたのに、22年度から「業務の効率化」のためにやめたそうです。それで給水停止が倍増した。水道の停止をきっかけに住まいを失った人は多いです。トイレも風呂も使えないし、水道料金を滞納している人はたいてい家賃も滞納している。それで出ていけと言われて住まいを失ってしまう。

ドイツでは、家賃を滞納すると大家さんが行政に連絡して、役所の人が訪れ、滞納者を福祉につなぐ仕組みがあるそうです。家賃滞納やライフラインの停止は、絶好の「困窮を発見するチャンス」なんです。

ところが日本の行政は「個人情報の壁」と言い訳して、発見できたはずの困窮を放置するだけです。貧しい人を踏みにじる施策としか言いようがありません。

白井 諸外国と比べると、愕然（がくぜん）としますね。政府にも地方自治体にも、困窮者を救済しなければならないというスタンスが根本的に存在しない、と言わざるを得ません。

結婚、出産とロスジェネ

雨宮 関西学院大学社会学部教授の貴戸理恵（きどりえ）さんがロスジェネについて書いた文章があります。「いちばん働きたかったとき、働くことから遠ざけられた。いちばん結婚したかったとき、異性とつながうことに向けて一歩を踏み出すにはあまりにも傷つき疲れていた。いちばん子どもを

産むことに適していたとき、妊娠したら生活が破綻すると怯えた」（『現代思想』2019年2月号）

彼女もロスジェネですが、非正規雇用率が高いゆえ、結婚や家庭を持つことに前向きになれないロスジェネの苦悩を言い表わしている文章だと思います。

私は2006年から貧困やロスジェネの問題に取り組み、安定雇用や「望む人は結婚・子育てできる社会に」と政治に訴え続けてきました。40代になってからは、ロスジェネ女性の出産可能年齢について言及することもありました。政治を動かすには、そうした言い方しかないと思ったからです。

自分たちは第3次ベビーブームを担う世代として期待されているのを子どもの頃から感じていたので、まさか国は見捨てないだろうと思っていました。ですが、政治にはことごとく無視されて今に至ります。白井さんは、ロスジェネ世代のこのあたりの事情についてどう思いますか。

白井　貴戸理恵さんの言葉は胸に沁みますね。自分の場合、結婚したのは30になる直前くらいで、最初の子どもが生まれたのは30代後半になってからです。妻は2歳下ですから、やはり30代後半だった。やはりその年齢になるまで、収入状況、職の安定性からして、子どもを持つのは難しかったわけです。幸いにも自然妊娠できて、元気な子どもを2人授かっているものの、ギリギリで間に合ったという感じです。

あと何年か不安定身分が続いたら、子どもを持つのは無理だったかもしれない。研究者のような安定的収入を得られるかわからないようなキャリアを目指すならば、これは致し方のないことなんだ、と思ってはダメなのでしょう。そういう問題ではない。安定した仕事を与えるか、仕事が安定しなくても不安なく子どもを産み育てる制度をつくるか、そのどちらかがなくては少子化は加速するに決まっているわけで、現にそうなっています。

これまで言われてきたことには、非婚化の理由は大きく2つあって、経済的理由と文化的理由です。経済的理由であれば、その大前提としてみんな結婚したいわけですから、お金がなくては結婚できません。文化的理由であれば、お金のあるなしにかかわらず、そもそも結婚をあまり望んでいない。

雨宮 そうですね。

白井 僕なりにここ10年、20年のスパンで観察していると、これまでは文化的理由のほうが強調されてきた。ロスジェネは個人主義が進みすぎて、わがままだから結婚を束縛としか考えない、というようなイメージです。

ところがここにきて、「いや、ちょっと待て」という話になってきた。そもそもロスジェネは経済苦で、もはや文化的理由だけで未婚化・晩婚化を捉えることはできない。早い話が、「価値観が多様化した現代の若者はライフスタイルとして結婚を必ずしも選ばない」みたいな紋切り型は、政治の無為無策を免罪するプロパガンダとして機能してきたわけです。

雨宮 ロスジェネも、非正規の人は未婚率が高いですけど、正社員だと既婚率が高い。明確に相関関係があります。例えば総務省が45〜49歳と50〜54歳の生涯未婚率を分析したところ、正社員の男性の未婚率は19・6％だったのに対し、非正規男性では60・4％でした（２０２０年国勢調査）。

白井　それはデータでも明らかです。そこそこ以上の年収を得ている正規雇用の人はだいたい結婚している。家も買っている。要するに、価値観の多様化など大して起こっていない。

つくづく思いますが、多くのことは、お金で解決できる、というかお金がないとにっちもさっちもいかない。アカデミズムの業界にいると、それがよくわかります。この業界はある意味極端で、大学院を出ても、最初はみんな食えない。それも深刻に食えない。非常勤講師とかをやりながら、なんとか食いつなぐわけで、かなり低収入です。

男性の正規、非正規雇用の年収と未婚率

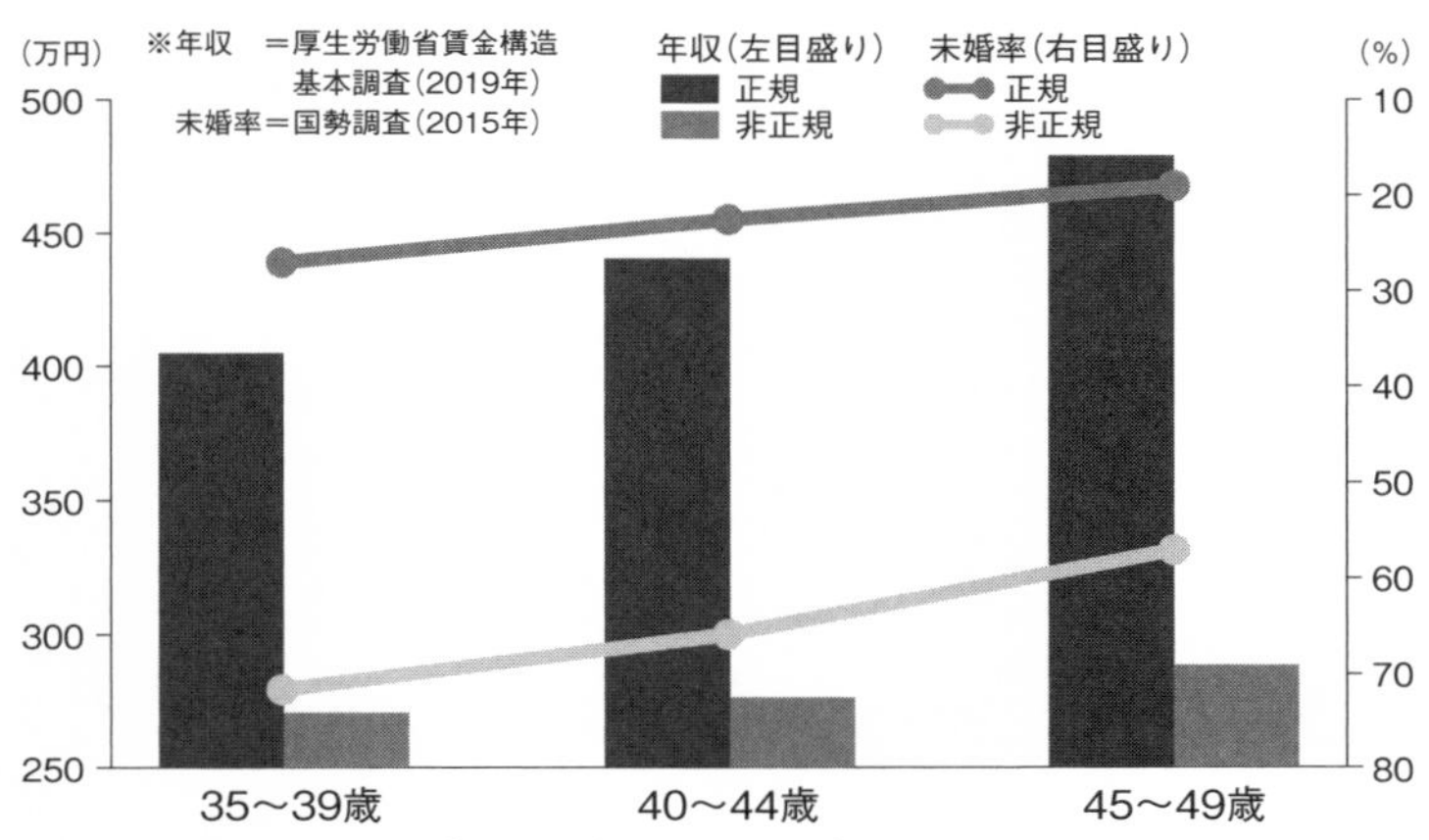

出典：2020年10月3日配信「産経新聞」記事を基に作成。

それが大学の任期なしの専任に就職が決まると、今のご時世ではどっちかというと給料が良い職種だということになるし、そう滅多には失業することもない身分となるわけです。そうするとあっという間に結婚が決まる。

雨宮 それはそうでしょう。アルバイトや派遣から正社員になれた途端、結婚した人もいっぱいいいます。

白井 無職時代からずっと付き合っていた彼女とかじゃなく、知人の誰かに紹介されたとか、お見合い的な出会いで結ばれる。

雨宮 出会いの機会も生まれるんですね。

白井 そうみたいですね。こうしたケースは多くて、「やっぱり金だよな」と感じます。その言い方は嫌だけど、お金によって解決できることはたくさんあります。

「餓死か自殺かホームレスか刑務所か」

白井 文化的な要素として、親である団塊の世代の結婚観についてどう思いますか。いわゆるリベラルな世代でもあるから「やれ結婚しろ」「子どもを産め」と昔の人ほどは押しつけない。だからロスジェネ世代は、あんまり結婚したがらない、と言われてきました。

雨宮 う～ん、私は「結婚したい、子どもを産みたい」という声を多く聞いてきました。今は

「結婚したかった」「子どもがほしかった」と過去形になっている人も多い。結局、「今の非正規、あるいは正規でも低賃金の状況では結婚も出産も考えられない」というのが答えではないでしょうか。

白井　やはりそうですか。雨宮さんの結婚観はいかがですか？

雨宮　特にないですが、小さい頃は20代で結婚して出産するものだと思ってました。それが20代で、どうやらそんなことは実家が近くにあって親が協力的で配偶者が正社員とかの条件が揃(そろ)ってる人にしか無理なんだと気付きました。

そして今はフリーランスの物書きで単身です。1年先、自分が何をしているのかさえわからない。団塊の世代の人とかは10年先、自分がどうなるかわかって生きていたのかな。でもローンを組んで家を建てるとかって、10年後、失業していないという前提ですよね。非正規やフリーランスにはまずそれがない。そもそもローンなんて組ませてくれない。

白井　知人の団塊世代は、「今日より明日が良くなる気分があった」と言っていました。

雨宮　ロスジェネにそんな気分はまったくないですよね。この3年のコロナ禍で、本当にたくさんのロスジェネの悲鳴を聞いてきました。みんなの声をまとめると、将来は「餓死か自殺かホームレスか刑務所か」という四択に集約されます。

白井　なんという四択！

雨宮　しかもみんな政治に怒るのではなく自分を責めてますね。たまに「国会前でハンストしたい」といった政治への怒りのメールが届いたりもしますが。あと、路上生活に一度なるとものすごく人間不信、社会不信になるんです。その過程で誰も助けてくれなかった。そういう中で世の中への恨みが大きくなって、ちょうど2022年7月26日、秋葉原無差別殺傷事件（2008年6月8日）の加藤智大の死刑が執行された頃には、「加藤智大になりたい」と口にした人もいたと聞きました。

白井 話を聞けば聞くほど深刻な精神状況が浮き彫りになります。いわゆる「無敵の人（失うもののない人）」がこの世代から続々出てしまうという悪夢が現実になるかもしれない。そもそもロスジェネはざっと、どのくらいいるんだろう。

雨宮 先ほどの朝日新聞の定義だと約2000万人です。これだけいて、政治家にまで見捨てられているのは信じられない（苦笑）。2000万票あるのに。

白井 投票率の低い世代なのかな。

雨宮 そのロスジェネ票が、維新の会に吸い取られている。政治への恨みを維新で晴らしてもらおうと考えているロスジェネがけっこういる。あと、維新の何かと意地悪なまなざしも冷笑系が基本のロスジェネには親和性が高いのでしょう。

白井 確かに、維新の支持率が一番高い世代だった。「弱い者達が……さらに弱い者を叩く」（THE BLUE HEARTSの「TRAIN TRAIN」の歌詞）そのものになっている。悲劇的なのは、維新的なものが自分たちを苦しめている既得権益を破壊してくれると思い込んだこと。

それは全然違ったわけです。

維新にしても小池百合子さんの都民ファーストの会にしても、既得権益を別のかたちで置き換える、あるいは看板を掛けかえて確保するだけの勢力にすぎなかった。投票行動に限らず、ロスジェネ世代は新自由主義化を自分たちを救うものと勘違いした。

今、状況はもっとひどくなって、冷笑癖を一層拗(こじ)らせて参政党とかＮＨＫ党（現・政治家女子48党）とかに走る。客観的に見れば、絶望の表現にしか見えないのです。

雨宮　ＮＨＫ党が出てきた頃は、サブカル好きのロスジェネが「面白い」とホイホイされて投票する光景を結構見ました。ロスジェネの山本太郎さん率いるれいわ新選組の支持層も、ロスジェネが多いですよね。

白井　参政党、れいわ、維新、ＮＨＫ党。ロスジェネ世代は人口規模としては多いのに、どの党もロスジェネ対策を前面に掲げている印象がないのは、どうなんでしょうか？

雨宮　れいわはかなりロスジェネを前面に出していると思います。

白井　やはりロスジェネの利益代表がいなければなりませんよね。問題はさらにいろいろあるわけです。50代の子どもを80代の親が支える「８０５０問題」、同じく60代の子どもを90代の親が面倒をみる「９０６０問題」と呼ばれているように、団塊ジュニアが親世代にパラサイトしている問題もあります。それから、ひきこもりもこの世代の問題ですよね。

雨宮　ひきこもりは全国で約１４６万人（２０２3年3月、内閣府推計値）とも言われています。

白井　長期のひきこもりに関しては、医療的措置を行わないといけない。それこそ数年、場合によっては数十年となったら、それは病気であって、治療しなければいけない。そこに手が打たれず、ずっと家にいるとなれば、解決の糸口はつかめません。

雨宮　２０００年くらいに、親が亡くなったひきこもりの息子が餓死する事件が起きたことを覚えています。餓死するまで外に出ないことに、私はとても衝撃を受けました。

　その頃、ある雑誌でひきこもりの専門家が、ひきこもりの子を持つ親が選択した１つのケースを紹介していました。もう働かせるとか自立させることは諦め、子どもが65歳までの生活費を出して年金や保険料も払う。なんとか65歳まで生存できるようにする計画でした。

白井　65歳のあとはどうするんでしょう？

内閣府「令和2年版高齢社会白書」より「世代別金融資産分布状況」

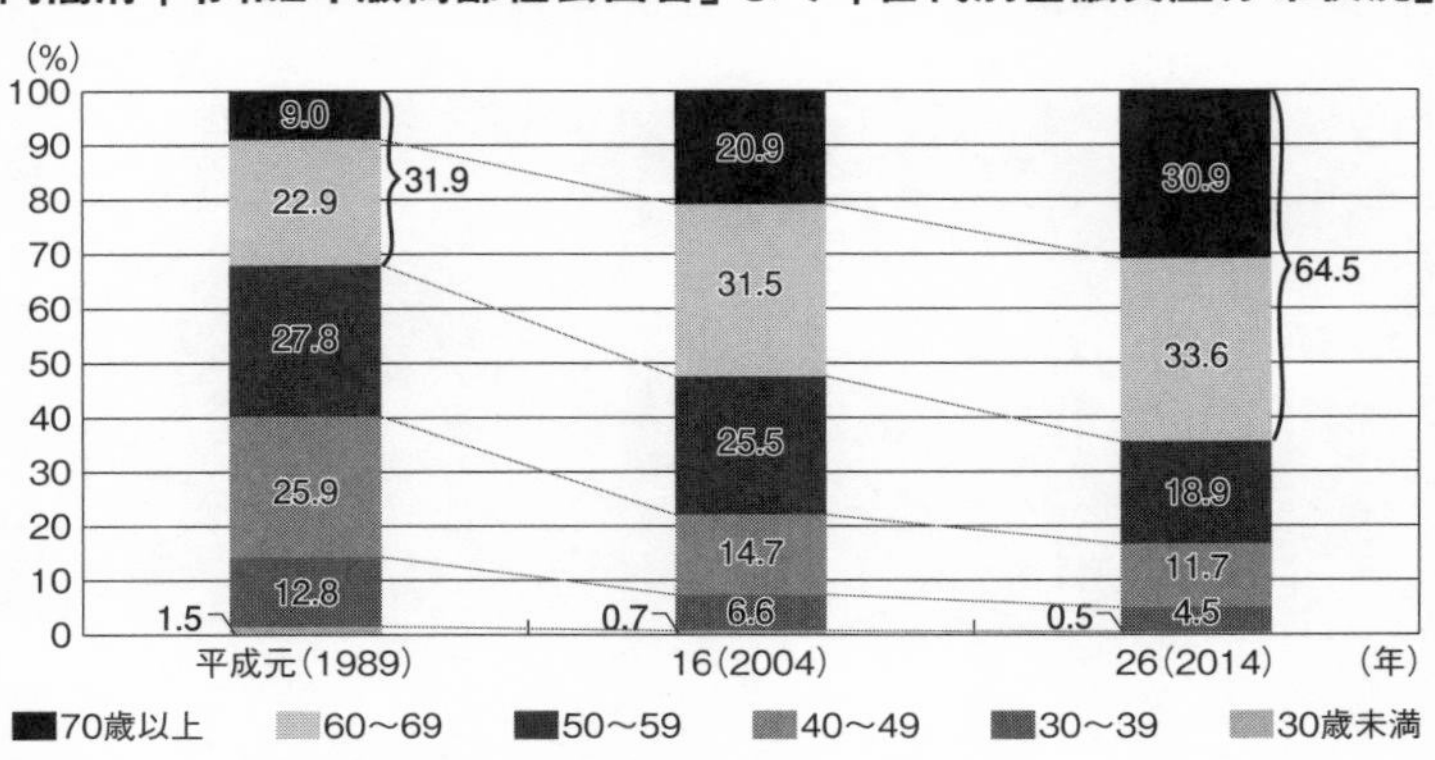

資料：総務省「全国消費実態調査」（2人以上の世帯）より内閣府作成。
（注1）このグラフでいう金融資産とは、貯蓄現在高のことを指す。
（注2）四捨五入の関係で、足し合わせても100%にならない場合がある。

雨宮　年金や生活保護につなげる。でもそれは、親に資産があってこそのライフプランですよね。２０００年と今とでは、親世代の資産も絶対に減っているはずです。

白井　そうですね。ただし、マクロで見ると親世代は相当お金を持っているのです。２００５兆円（２０２２年12月19日日銀発表）といわれる国民の金融資産残高の８割近くは、団塊の世代以上が持っているらしいです。経済成長しなくなり、他方で平均余命が延びると高齢者に資産が集中するというのは、トマ・ピケティも指摘しているとおり、普遍的現象で日本もそうなっている。このお金を動かさないとどうにもならないのですよね。

もちろん一方で、高齢者の資産は高齢者のあいだで不均衡に蓄積しているわけで、老々格差も大きいわけです。

海外出稼ぎはできるのか

雨宮　最近、ＳＮＳで執拗（しつよう）に女性を攻撃したりする男性がいますが、世代的にはロスジェネも多いんでしょうか。このままだと、老後は嫌なおじいさんになりそうで心配です（苦笑）。

白井　いや、ロスジェネ世代は非婚率が高いでしょうから、おじいさんになるまで生きられないケースが増えそうです。男性非婚者の平均寿命は著しく短いそうですから。

雨宮　そういえば、40代になってから、同世代が孤独死したとか病気になったという話をたまに聞くようになりました。そもそもロスジェネは「老後」を迎えられるのかという問題がありますよね。

白井　経済政策と社会政策の両面から見てみると、ロスジェネ世代が抱える問題は途方に暮れてしまうくらい困難です。何といっても不安定雇用の問題が中心にあります。地方自治体が数人雇ったところで、焼け石に水にもならない。

雨宮　２０１９年、国はロスジェネに「人生再設計第一世代」と名付け、３年間で30万人を正社員化するとブチあげたのに、まだ３万人しか達成できていない。

白井　しかもその３年がそろそろ終わるから、３万人で頭打ちになる。それを全部、コロナのせいにするつもりではないのか。３万人だと達成率はたったの１割ですよ。

雨宮　やはり２０１９年には、兵庫県の宝塚市がロスジェネに限って正規職員を募集したところ、わずか３人の枠に１８００人以上が応募したことがありました。北海道から沖縄まで全国から応募があったそうで、ロスジェネの苦境が注目されました。

そういえば最近、将来もらえる国民年金の額の通知が来たんです。私は20歳からきっちり払っているのに月にもらえるのは４万円でした。それだってもらえればいいほうで、国民年金なんかそもそも払っていないロスジェネが多い。低賃金で年金保険料なんて払えるはずもない。

このままでは、ロスジェネの何割かは確実に生活保護に流れ込むでしょう。それを想定して、生活保護法が改悪されて利用条件が厳しくなるかもしれません。

白井　年金問題1つとっても、先行きは本当に暗い。

雨宮　最近、海外への出稼ぎが話題となっています。日本では食えないロスジェネの中からもそういう選択肢がリアルに出てくるんでしょうか。

白井　残念ながらロスジェネはそれも遅いです。

雨宮　ああ……。20代で英語ペラペラとかならいいけど、英語も話せず、語学スキルのない50近い人となると……。

白井　ロスジェネに「これからは海外で働け」と押しつけても、無理じゃないですか。語学の問題もあるし、言語不要の肉体労働をしようにもすでに若くもない。

雨宮　10年以上前、中国に出稼ぎに行ったロスジェネ男性に取材したことがありました。仕事はコールセンターで、中国語も学べるという触れ込みだったのに、全然話が違って稼げないし中国語も学ぶというレベルじゃなくお遊びレベル。結局、稼げないまま帰国したんですが、無事に帰国できただけまだいいのかもしれない。最悪、フィリピンで全財産なくしてホームレス状態になっている高齢の日本人男性みたいな末路だってあるわけですから。

白井　話せば話すほど絶望せざるを得ないです。この世代に一体どんな晩年が待っているのか。

雨宮　老後のことで言うと、同性のオタクや腐女子、趣味が共通の友だちからは、「老後は同性だけのシェアハウスがいい」とわりと聞きます。問題は男性ですよ。おばあさん同士のシェアハウスはみんなで料理とかして楽しいかもしれないけど、おじいさんのシェアハウスを想像してみてください。ゴミ屋敷になるか、シェアハウスの部屋で孤独死するか、殺しあうかの三択が浮かんでしまう。

白井　どれも想像するだけで恐ろしい。私もまったく他人のことはとやかく言えませんが、ロスジェネ世代はジェンダー観が昭和的で、男性に日常的な生活力のない者が多い。そこのところをパートナー女性によって補ってもらうのが古典的なライフスタイルであるわけですが、その古典的ライフスタイルを支える経済力を男たちが失ってしまった。

たぶんこのジェンダー観は、男たちのコミュニケーションのスタイルとか人間関係の作り方にも影響していて、会社で働いて結婚して子どもを生み育てて、という定型的人生から外れた時、また外れた者同士でどう振る舞うのか、何もロールモデルがない。だから、地獄の三択しか思い浮かばないという感じになってしまうのではないでしょうか。

「家族介護」より「他人介護」

白井　ロスジェネが直面する問題として、介護のことも深刻です。雨宮さんのご両親は健在だとさきほど聞きましたが。

雨宮　はい。

白井　これからの後期高齢者は、５人に１人が認知症になるといわれています。４人に１人は要介護の高いレベルとなり、身体も不自由になる。認知症になるか、寝たきりに近い状態になって何年も生きる。それをロスジェネ世代が介護しなきゃいけない状況が現われつつあります。

雨宮　そこは目いっぱい、介護保険制度などの社会資源を使うしかないですよね。特にロスジェネ女性で独身だと、実家の親が倒れると介護要員として呼び戻されやすい傾向があるので、要注意だと思います。ちょうど地元に戻りたいタイミングであればいいものの、介護離職して親の介護をして、親が亡くなった後も人生は続くわけですから。

なのでまずは「地域包括支援センター」に行って、いろいろな情報を知って、行政の使える制度はフルで活用する。それがいいと思います。

白井　しかし肝心の介護保険制度は改悪され、利用者負担は増加の一途をたどっています。家族の負担が増えることが懸念されているわけで、そこを国はどう考えているのか。

雨宮　介護のことでいいなと思ったのは、ドイツのケースです。家族が介護したら、その家族にも国からお金が出るんです。自分が失業中だったら、実家に戻って親の介護をすれば収入が得られる。日本ではそうはいきません。

白井　なるほど。ただし、そもそも主たる介護者を家族に設定すること自体に問題がありますよね。

雨宮　その問題もありますよね。私も家族介護の危険性は危惧(きぐ)しています。

れいわ新選組の参議院議員である舩後靖彦(ふなごやすひこ)さんはＡＬＳ（筋萎縮性側索硬化症(きんいしゅくせいそくさくこうかしょう)）で全身まひの

状態ですが、重度の障害があっても1人暮らしをしています。そういう人はたくさんいます。それは社会資源をフルで使って24時間介護を受けているからです。そのような活動の周りにいる人たちは、密室になる家族介護の危険性を熟知しています。とにかく密室にせず、他人を入れる。家族介護は、介護される家族を虐待したり、最悪殺してしまう危険性もあるからです。だからこそ、介護をきれいごとで語るのではなく、まずは制度やシステムを利用して、プロの他人に入ってもらう。自分が介護を受けるのであれば、追い詰められてイライラした家族よりも、お金をもらっているプロのほうが安心です。白井さんは、どうですか。

白井　同感ですね。何年間も家族の人生を占領してしまうという事態は、それ自体悲劇的です。介護されている側が、介護者の家族に「これ以上迷惑を掛けられない、殺してくれ」と頼んで嘱託殺人に至る、などという本当に痛ましいケースもあるわけです。そうした状況をなくしてゆくことは、イの一番の政治の課題であるはずなんですが。

雨宮　介護のことも情報があるかないかでまったく違いますよね。まずは使える制度を知ることから始めればいいのではと思います。

白井　介護に関しては、技術革新による合理化に、どれほどの期待ができるのでしょうか。例えば、ＡＩ（人工知能）で多くの仕事がなくなると言われていますが、これは介護に関してはどうなんでしょうか。

雨宮　どうなんでしょう。

白井　ＡＩに介護の仕事ができるのかどうか？　僕はかなり眉唾ものだと考えています。
３年前に、自宅の引っ越しをしたんです。冷蔵庫を新しく買って、電器店の逞しいお兄ちゃんが２人きて搬入してくれた。ぼーっと見ていたんですが、あれはけっこう複雑な作業ですよ。工場で冷蔵庫を造る作業はかなりの程度機械化されているはずですが、それを家に運び込む仕事はそうではない。生身の人間がヨッコイショ、ヨッコイショとやるしかない。この作業をどうやったらロボットにできるのか、冷静に考えて無理です。

雨宮　逆に時間がかかってしまう（笑）。

白井　機械にできるとは思えません。家は一軒一軒違うので、冷蔵庫を運ぶ機械を造ってそれに乗っけてやれば後は勝手に指定した場所に無事運んでくれる、みたいなことが想像できない。冷蔵庫の入れ替えですら難しいのに、生身の人間の介護をＡＩがこなせるとは思えません。だから人力頼りになる。東京都の介護の求人倍率は今、５倍以上でしょう。それでも人が来ない。仕事が欲しければ、ロスジェネの人たちでも介護ならある。

雨宮　リーマンショックの時も、失業した人がハローワークなんかに行くと、求職者支援制度という、月に10万円もらいながら資格が取れる制度を使って「介護の資格を取れ」とかなり強く勧められたそうです。

白井　やっぱり仕事はあるんですね。

雨宮　でも、資格を取って介護職についたものの、やめたという人がすごく多いのです。現場が大変すぎるうえ、給料も安すぎる。資格を取っても労働環境や待遇が悪いとやはり続かないですよね。

白井　今でも、そうした就労支援制度はありますか。

雨宮　あります。例えばネットカフェ生活者支援をしている東京都の「ＴＯＫＹＯチャレンジネット」でも、かなり介護の仕事を勧められます。もちろん、それで介護の資格を取って仕事を続けている人も知っています。

だからといって、行政が介護職にばかり誘導するのは良くないと思います。本人の適性もあるし、「仕事がないなら、とにかく介護」はあまりに雑です。「就労支援のメニューをもっと増やしてほしい」と支援者たちが求めています。でも、なかなか増えません。

白井　同感です。介護の仕事は適性の有無がはっきりとあると思います。向いてない人にやらせれば、虐待など危険なことさえ起こりうる。それからまず介護職の給料を上げなければいけない。あとで話題にする「連帯」の話につながりますが、給料が低い理由の１つは、労働者が連帯していないからです。

雨宮　たしかにそうですね。

白井　例えば看護師さんたちの仕事は大変ですが、介護職に比べれば給料はいい。それは看護師がかつて、賃上げ要求をガンガンやったからです。今も看護師さんには、強力な労働組合がありますからね。

雨宮　介護職の現場でも、声を上げている人たちがいますよね。現場の声を拾いあげ、介護現場でのセクハラ被害など、いろいろと実態調査をしています。

世代間の分断？

白井　先ほどちょっと話題にした世代別の預貯金をトータルで見たら、圧倒的に高齢者がお金を持っています。格差はあるにしろ、持っている人は持っている。このお金を動かして、現役世代のために使えるようにしていかないと、経済は動きません。ロスジェネ世代の救済も無理です。

最近、イェール大学アシスタント・プロフェッサーの成田悠輔（なりたゆうすけ）氏の「（高齢者は）集団自決」発言が話題になりました。あの発言自体は学者としてどうしようもないものですが、他方で、この発言に対する批判の反応を見ていて、やりきれない気持ちにもなりましたね。非人道的な発言はいけないみたいな、そんな単純な話じゃないでしょう。

例えば、国民健康保険にしたって、国民年金にしたって、今、非正規で働いてカツカツで生活しているロスジェネが納めたお金の一部が高齢者の医療費や年金に所得移転されているわけです。「今の高齢者世代は戦後の本当に貧しい時期に幼少期や青年期を過ごし、懸命に働いて日本を豊かな国にしたのだから」という理屈は、だんだん成り立たなくなってきています。その世代は退場しつつあるわけで、これからの高齢世代は、戦後の復興と成長を実現したのではなく、その果実を享受した世代になってきているのですから。

しかも、90年代から政治経済すべて大停滞、クソみたいな改革もどきを繰り返して、失敗の山を築いてきたのを主導してきたのは、どの世代ですか？　その間、権力を持って指導的な地位にいたのは、今、70〜80代になった人たちですよね。で、ズタズタになった社会の犠牲となった世代がロスジェネで、そのロスジェネからなけなしのカネをむしり取って、「われわれの医療費だ、年金だ」と主張する。

だから恨まれるのは当たり前なんですよ。ただし、成田氏の間違いは、世代内での格差、立場の違いを見ていないことです。当たり前ですが、貧困に苦しむ高齢者もたくさんいる。馬鹿げた「改革」に対して戦ってきた人たちもいる。そんな人たちに対して「みんな死になさい」と言うのは外道でしかない。

雨宮　まさに外道（げどう）だと思いますが、こういった「高齢者ヘイト」がもう市民権を得てしまっているのが怖いですね。公務員バッシング、生活保護バッシング、また相模原市の障害者施設で19人が殺害された「やまゆり園事件」（２０１６年7月26日）に象徴されるような障害者ヘイトに続いて、本格的に高齢者ヘイトが到来したと思っています。

ただ、日本の貧困率15・7％に対して65歳以上の貧困率は20％。また65歳以上の単身女性に限っては貧困率が50％を超えています。生活保護利用者の内訳を見ても、半数以上を占めるのが65歳以上の高齢者世帯。高齢者はお金を持っていると言われる一方で、こういう現実もあります。恐ろしいのは、私たちが無事に老後を迎えた時、高齢者の貧困率はもっと上がっているだろうということです。

白井　本章では、深刻化する貧困の実態、ロスジェネ世代の置かれた状況、世代間格差の問題などについて見てきました。考えれば考えるほど、これはもうどうしようもないという感じがしますが、それでも考え、行動し続けないとなりません。

第2章

病み、壊れゆく、ロスジェネの闇

暇空茜（ひまそらあかね）というロスジェネ

白井　いつだったかニュースで盛り上がった埼玉の事件（２０２２年10月２日未明）をご存じですか。「俺とお前、どっちが埼玉で一番有名なヤンキーか」で揉めたらしい（笑）。

雨宮　知っています。「昭和かよ」と笑ってしまった（笑）。

白井　「俺が有名だ」「いや私だ」と揉めて、いよいよ決闘することになった。

雨宮　10代の若者で、少年と少女ですよね（中学生同士の決闘で25歳の暴力団員を含む11人を逮捕）。

白井　決闘ですよ、決闘！　もう１つ、池袋のフレンチレストランででっかい乱闘騒ぎ（２０２２年10月16日）があって。

雨宮　あれも映画みたいでした。「サンシャイン60」の58階のレストランで、急に時代が逆もどりしたみたいな。

白井　こちらはチャイニーズドラゴンらしいですね。フレンチレストランで約１００人が殴り合っているって、何たる壮観、もはや映画ですよ。いやはやある意味で感心しました。今時、こんなに元気のある奴がいるのかという。

雨宮　子ども時代はヤンキー全盛期でした。非行に走った娘の家庭内暴力を描いたテレビドラマ『積木くずし』（ＴＢＳ系で放映、１９８３年）が小学生の時に放送されて、ほんとうにヤンキーが怖かった。

白井 テレビドラマだと不良高校生たちがラグビーで花園をめざす『スクール☆ウォーズ』（TBS系で放映、1984～85年）とかもありました。

雨宮 とにかく家庭内暴力や校内暴力もすごい時代でしたね。そうして1990年代になった頃から家庭内暴力という言葉をあまり聞かなくなり、ひきこもりの問題が出てきた。

白井 そうですよね。90年代以降、表面的には暴力的事象は減ってきて、それだけ見れば、学校や教育の現場は良くなっているかに見える。けれども実は、不登校の激増、学級崩壊、そしてひきこもり、自傷行為の多発など、暴力が自分自身に向かったり、あるいはひたすらに沈み込むかたちに若年層はアノミー（anomie／社会規範が崩壊するなどして起こる無規範・無規則状態）になった。

身も蓋（ふた）もないことを言えば、若年層、そして学校は常に問題だらけなんですよ。思春期で不安定だったり、やたら元気な年代の者が集まっているのですからそれが普通なのです。大学紛争、学校紛争の時代があって、それが終わったら校内暴力、暴走族だ、となった。暴力沙汰（ざた）を聞かなくなったと思ったら、いじめに不登校にひきこもりだ、となりました。

要するにこれは、元気がなくなってきているということですね。どうせいつも問題だらけなんですから、元気があったほうがいい。だから今は、まことにマズい状況です。若年層からエネルギーが失われている。あるいは、エネルギーが内向するようになってしまっている。そんな中で例外的にやたらに元気になっている人が出てきているのが……。

雨宮　ネットにたくさんいますね。特にミソジニー（女性嫌悪、憎悪、蔑視）な人たち。ちなみに2022年末から、若年女性を支援する一般社団法人「Colabo（コラボ）」がネット上で凄まじいバッシングを受けています。それを煽っている人の記事、読みましたか。

白井　ゲームクリエーターの暇空なんとか（暇空茜）って人ですね。

雨宮　そうそうそう。『週刊新潮』のオンライン記事に、暇空氏のインタビューが出ていて読みました（「デイリー新潮」2023年1月6日号）。

ここで話を整理すると、Colaboは仁藤夢乃さんが2013年に立ち上げた団体で、性暴力や虐待の被害に遭った若年女性を支援しており、18年から東京都の「若年被害女性等支援事業」を受託しています。そのColaboに対して、会計不正があるとして東京都に住民監査請求をしたのが暇空茜という人物。

この問題は、2023年3月に東京都監査事務局から公表された文書で、再調査の結果、Colaboの会計処理に不正はなく、受託料の返還も求められていないことが明らかになったのです。いったいどういう人がどういう動機でColaboを追及しているのかと思って記事を読み、驚きました。まず彼は自身を「無職一般富裕オタク男性」と言っています。40歳独身で、6億円を持っているそうです。

白井　6億！

雨宮 それを手に入れた経緯もすごくて、記事によるともともとゲーム開発者らしいんですけど、大学を出てセガに入り、そのあとソーシャルゲームに特化した会社に行き、そこで開発したゲームが大ヒット。しかし、社長との関係が悪化して8％持っていた株を奪われ会社も追われたので、社長を相手取って9億円の損害賠償を求める裁判を起こし、7年かけて最高裁まで争って6億円を勝ち取ったそうです。

白井 すごいなあ。半端な額じゃない。

雨宮 ある意味、ロスジェネの成功者ですよ。つまり、もうお金は持っている。ロスジェネが一発逆転するには、誰かを訴えて勝つか、ユーチューバーになるかしかないみたいなことを体現している。

お金も時間もあるので、「宇崎ちゃん騒動」(日本赤十字社の献血ポスターとして採用された漫画が「環境型セクハラ」などと批判された)をきっかけにフェミニストとネットで対決するようになったそうです。漫画が好きだそうで、「作品を燃やす」(炎上させる)行為が許せなかったとか。そうして次のターゲットとして、仁藤夢乃さんを選んだ。仁藤さんもフェミニストとして積極的に発言していますが、性差別などを問題視する彼女がやっている事業に「後ろ暗いところはないんだろうな」と徹底的に調べ始めたそうです。

白井 暇空氏が。

雨宮 はい。そんな暇空氏を応援する人がたくさんいます。

白井　憧れなんだ。

雨宮　でしょうね。だってまず6億円をゲットしたって、一発逆転として、これ以上完璧な話はないですよ。社長を訴えて、粘って、一生分のお金を得た。ロスジェネがいくら頑張って働いても、決して手にできない額です。

厄介なのは、暇空氏は自分のしていることをおそらく「世直し」だと考えていることです。仁藤さんとColaboを追及して、公金の使い方を正し、萌え系の作品をフェミニストから守る。そういう「大義」がある。そんな「フェミから作品を守る」という大義のために動きたい男性はたくさんいるでしょう。そういう人たちのリーダー的存在になっている。それがすごく怖いなと感じています。

白井　6億ゲットしたことについては、どちらかというと正当な行為ですよね。資本と闘った根性は見上げたもの。

雨宮　そうです。3億で和解を求められたのを命懸けで最高裁までいって、6億を勝ち取った。もう執念ですよ。

その暇空氏が2022年11月、Colaboに訴えられたんですが、これに対して徹底抗戦を表明し、カンパを募ったところ24時間で2200万円も集まり、すでに8000万円ものカンパ（2023年1月30日現在）が集まっている。このことに愕然としました。困窮者支援にだってそんなお金、短期間で集まったことがないのに、Colabo叩きにこれだけお金が集まるなんて……。

白井　かなりとてつもない金額ですね。

雨宮　このねじれた情熱はなんでしょう。最近、ジャーナリストの佐賀旭（さがあさひ）さんが書いた『虚ろな革命家たち　連合赤軍　森恒夫の足跡をたどって』（集英社、2022年）という本を読んだんですが、この本の最後には、中核派の学生組織の幹部のインタビューが掲載されています。30代なかばの石田さんという人は、こう言います。

「なんていうか……もう常識じゃないですか。社会にブラック企業があるのは当たり前だし、どうやってブラック企業を回避しようかということを若者は当たり前に考えているし、年金なんかどうせもらえないと思っているし、奨学金も返せない。じゃあ一流企業に就職したからって、過労自殺した電通の彼女の話じゃないけど、自分たちが目指してきたものって、これなのっていう。東大みたいな一流大学出て、一流企業に入って、待っているのはこれなんだって。ユーチューバーで上手くやれたらいいなぐらいしか展望がないというか……だから本当にそういう社会の閉塞感（へいそくかん）っていうのは、この十年とかで全く違うものになってきている」

この言葉になかなか反論できないというか、すべてその通りなんですよね。何か言うとしたら、私は「ブラック企業」という言葉は今は使わないようにしてる、くらいしか言いようがない。あとはすべてその通り。これが今の若い世代からロスジェネまでのリアルでは。

白井　つまり、そうした閉塞感を爆発させることのできる「祭」が求められている。そのネタとしてＣｏｌａｂｏ叩きが現われたということでしょう。暇空氏はその火付け役になったというわけですね。

雨宮　そんな中、暇空氏は大金だけでなく、生きる道を見つけた人ということもできる。

「フェミを葬れ！」という恐ろしい情熱

白井　暇空氏はすでに6億持っているわけですよね。それで何が不満なんですか。

雨宮　そうそう。私、もし6億あったらツイッターとか見ないし、自分が気に食わない活動をしてる人がいても気にならないと思う。そんなにお金があるなら海外旅行とかして暮らせばいいのに、彼はもともとオタク男性だから、彼なりの正義感がそうさせるんでしょうか。

白井　6億あれば悠々自適なのにねえ。私だったら住宅ローン一括で全部返済して、大学を辞めて、あとは何しようか。

雨宮　そういう感じになりますよね。でもオタクなので、大好きな作品がフェミたちに貶(おとし)められているのが許せない、となる。つまり正義感と使命感から、仁藤さんたちを追及している。

これはもう「革命家の信念」だと言わざるを得ない。しかもそんな彼に賛同して1億近くも寄付する支持者たちがいる。その構図はかなり地獄です。

白井 今回の件で1つ証明されたことがあります。それは、あの人たちにはある意味、本物の情熱がある。

雨宮 ほんとにそう！　もうびっくりしました。

白井 だって8000万円も集まって、多分1億いきますよ、これは。

雨宮 暇空氏はインタビューで「これはネット界におけるウクライナVS.ロシアの戦争です」と話しています。

白井 フェミがロシアのつもりなのかな。

雨宮 わからないけど、やっぱりそこまでの情熱がないと、あそこまでことを大きくはできませんよ。監査請求だって、ターゲットに狙いを定めて、周到に準備を重ねて相手に仕掛けている。ただのちょっとしたノリや不満からやっているアンチフェミではない。そのことにものすごく驚いて、ぞっとしました。

白井 この話でややこしいのは、一方で仁藤さんはすごく嫌われている。彼女の個人的キャラクターがフェミ叩きを呼び寄せているところがある。

仁藤さんのこと、僕も正直なところまったく好きじゃないです。彼女が作家の室井佑月さんに言ったことは度し難いですよ。過去のことを持ち出して元新潟県知事の米山隆一さんを罵倒して、ついでに米山夫人の室井さんも罵倒したので、室井さんが激怒した。その言い草たるや本当にひどいもので、こういうことを言う人とは関わりたくないと強く感じました。仁藤さんは、雨宮さんと同世代？

雨宮　いいえ、彼女は33歳なので私よりずっと若いです。

ちなみにColaboが暇空氏を訴えた日（2022年11月29日）は、社会学者の宮台真司さんが襲撃されて大怪我をした日でもあります。こちらは容疑者が亡くなってしまったので動機の解明ができませんが、こういう事件は言論活動にとっても脅威になりえると思います。思わず、白井さんのことも心配になりました。

白井　ご心配いただき、恐れ入ります。

フェミサイドとインセルの構図

雨宮　暇空氏が6億円持ってるということを受けて、今後、クレーマーみたいになって大企業を訴えるロスジェネも出てくるかもしれないと思いました。それほどロスジェネは、この社会や企業にひどい目に遭ってきて怨念をためている。

白井　うん、そうやって資本を追い詰める方向に行ったりすれば建設的なんですけど、暇空氏の過去にはそういうことがあったにしても、社会現象としてのColabo叩きはどうもそういう感じでもない。それにしても、暇空氏の感覚はわからない。６億円ゲットしたら、雨宮さんの言った通り、人生大逆転じゃないですか。ややこしいのは、暇空氏とそのまわりにいる人たちも、欲しいのはお金じゃないんですよ、きっと。

雨宮　ですよね、お金だけではない。

白井　６億あっても、こじらせるわけだから。

雨宮　６億あれば、海外移住したりもできるのに。

白井　つまりは、根っこにインセル（Incel／Involuntary Celibateの略。恋愛やセックスの相手を欲しているが叶わず、その原因は女性の側にあると考える男性。望まない禁欲者、非自発的な独身者）問題があるわけです。

雨宮　言いかえれば、６億あってもインセルはインセルのままということですね。もし私がインセルで大金を得たとしたら、容姿的なコンプレックスがあったら美容整形とかで克服することなどを考えそうですが。

白井　カネがない時は、カネがないから俺はモテないんだ、と言えたのに、カネがあってもモテない、となるとかえってますますツラそう。今、一生懸命に暇空氏にカンパを貢いでいる人たちも、ひどい目に遭ってきたロスジェネが多いんでしょうか。

雨宮　ほんとうに頑張って、低賃金からやっと月給が１万円上がったとか、そういう人たちが寄付しているのかもしれない。一度にウン千万も寄付できるお金持ちはいないはずです。カンパした人数は、膨大な数だと思いますね。そう思うと、草の根の運動をやっている。フェミを潰したい人たちの裾野の広さに愕然とします。

白井　結局、「フェミサイド（女性を標的とした殺人）の問題＝インセルの問題」になる。

雨宮　しかも、それが凄まじく暴力化してきたと思いませんか。２０２１年8月6日の小田急線刺傷事件（8月6日）がそうです。10人が刺されるなどして重軽傷を負ったこの事件で逮捕された36歳の男は、「幸せそうな女性を殺したかった」と動機を語っています。実際、最初に刺された20歳の女性は刺されて逃げても執拗に追いかけられて背中も刺されています。

また、Ｃｏｌａｂｏの件からも明らかなように、ネット上でのフェミニストへの攻撃も凄まじくなる一方です。私自身、５年前くらいまでは積極的にジェンダー問題についてSNSで発信していました。しかし、ある時期からフェミニストへの攻撃が異常になってきたのを感じ、怖くなりました。

白井　自分でも危ないと思ったのですね。

雨宮　異様な熱意を持ってフェミニストたちを潰そうとする勢力を見ていて、シャレにならないと思いました。以降、ジェンダー的な発言も、ＳＮＳでは控えるようになりました。こういった萎縮自体、相手の思う壺だろと批判されると思うんですが、何をするかわからない、言葉の通じない人たちの攻撃は恐怖の一言です。

だから今、そんな中でももの申している女性たちは、ほんとにすごいと思います。同時に、どうすればこんな地獄のような状況が変わるのかとも思います。この問題、どうすればいいんでしょうね。

白井 社会学者の上野千鶴子先生は、「二次元美少女を見て死ぬまでオナニーしていてください。以上」と言っていましたが。

雨宮 いやいや、それではダメだと思います（笑）。おそらく、そういったことをしている人はまず孤独ですよね。

白井 「孤独なのは、あなたの人間性の問題です。人間的魅力がないから孤独なんです。そこを反省して、自己改革しなければ、お話になりません」。上野先生はそういう意味で言ったんじゃないかな。ド正論なんですね。

雨宮 でもそれは、究極の自己責任論ですよね。「人間的魅力」と言われても本人としてはすごく困る。

白井 そこがややこしいというか、難しい問題なんです。6億ゲットしてもダメだったとなると、これはもう絶望が深いし、闇でしかない。

雨宮 億単位のお金があれば、なんとかなると普通は考えます。それが6億あってもＣｏｌａｂｏ叩きに必死になるわけでしょう。闇としか言いようがないです。

非モテの「三派全学連」

白井　フェミサイドやインセル問題は、なんとかしないといけませんが、なかなか妙案が見つかりません。それくらいこじれちゃっている。それこそ暇空氏に、「そんなことやっていて、恥ずかしくないの」と言っても通じません。

雨宮　おそらく「俺は世直しのためにやっている。フェミから日本を守る。世界を守る」と考えているんでしょうから。

白井　「そんなことをしても、女の子にモテないぞ。嫌われるぞ」と言っても、「それで何が悪い」と受け止めてしまう。まあ、呆れるほかないところがあるんですよ。暇空氏が典型ですが、これらインセル諸君は、そもそも萌えアニメ大好き、二次元美少女大好きなわけでしょ。あれだけ女たちを憎みながら二次元の女は大好き、というかその世界に耽溺している。

　そんなに嫌いなら関わらなければいいのに、それなしでは生きていけないと、密かに思っているならまだしも、堂々と言い表わしている。人としてあまりに情けない。恥を知らない。人としての佇まいがキモい。「だからモテないんだよ」というわけですが、「俺は何も悪くない。俺がモテないのはフェミニズムに毒された女たちのせいだ。一番悪いのはフェミだ！」となっちゃう。

雨宮 もう1つ、インセル問題は、一部ロスジェネ男性と切っても切れない問題という感じがします。それより上の世代にはあまり見られない気がするのですがどうでしょう。というか、親世代の団塊世代だと生涯未婚率がめちゃくちゃ低くて一億総結婚時代だし、社会に出て働けば、とりあえず承認がついてきたし家庭も持てた。でもそれが難しくなった第一世代がロスジェネですよね。もちろん、彼女がいても既婚者でもインセルを自認する人はいるようですが。

あと、インセル関係では「KKO」という言葉がありますよね。「キモくて金のないおっさん」という意味ですが、ひと昔前のおっさんはキモくても金はあった。それがロスジェネあたりから、中年になっても金がない男性が大量に出てきた。この辺のこととインセルって絶対関係ありますよね。

白井 ありますね。世代的な要因を整理しておきたいと思うのですが、1つには今、雨宮さんが言った経済問題がある。もう1つは、フェミニスト学者などが指摘してきたように、「ロマンチック・ラブ・イデオロギー」がもうもたなくなってしまったということ。というかそれは本当はそもそも成立していなかったのではないかという話です。

この話はなかなかややこしいので順を追って話します。見合いなどから恋愛へと結婚のきっかけの主流が移行して以降、恋愛と結婚はいわば、自由競争の市場となったわけです。財力、ルックス、そしてコミュニケーション能力などさまざまな恋愛能力を個人が武器として持って戦う純粋な競争の場へと近づいていく。イエ制度的なものなども含む前近代的なしがらみから解放された個人が個人同士で対峙して、それこそ憲法第24条にあるように「両性の合意のみに基いて」関係を築く。言い換えれば、恋愛能力を自らの資源として「合意」をとりつけるべく競争する。それが「ロマンチック・ラブ」の中身です。

だがしかし、近年明らかになってきたことは、恋愛能力というものは、万人に具わったものではない、ってことですね。かつ、おカネの問題は世の中のせいや政府の失政のせいにすることができても、コミュニケーション能力みたいな人間的な力は、他人のせいにできない。けれども、ないものはないんで、なかなかどうしようもない。上野先生の言葉は自己責任論ではないかと雨宮さんがさっきおっしゃいましたけどその通りで、上野先生の言い分は、「その能力がないなら身に付けろ、それができんのは自己責任」ってことでしょう。

でもここで1つ疑問が生じるわけだ。ロマンチック・ラブ・イデオロギーの最盛期にだって、コミュ力的な恋愛能力が欠けている、あるいは低い人はいっぱいいたはずではないか。それでもその人たちはだいたい結婚できて、インセルをこじらせることもなかったのに、今はどうしてこうなっちゃったんだ、と。それはつまり、最盛期にだって、純粋な近代的個人同士による性的結合など本当はなかったんじゃないか、ということでしょう。

思い出すんですが、大学生になったくらいの頃かな、大企業が一般職女性をなぜたくさん新卒採用するのか、その理由を知った時、言い知れぬ厭な気持ちになったんですよね。要するに、同年代の男性社員の嫁さん候補として採るんだ、という。だから会社としては、できれば容姿端麗な若い女の子を揃えておけば、それに惹かれて優秀な男性も採りやすくなる、そんなメカニズムがある。

女の子たちも、そうした関係になることを期待して就職活動をする。そういう価値観というか生き方というか、男も女も、どっちもロクでもないと思った。女は男に一段下に見られながら依存して生きてゆくことを前提にしており、男のほうはそんな女でもいいと思っているというか、むしろそうして依存させたほうが言うことを聞かせられるから好都合だと思っている。今時の若い者がそんな価値観で生きてゆくのかと思うと、何とも絶望的な感じがしましたね。あまりに前近代的ではないかと思ったものです。

しかし、今から考えてみると、こうした構造は、男女不平等の構造であると同時に恋愛能力の不足を補完するものでもあったわけです。というのは、例えば今挙げたような状況から、同期入社の一般職女性社員と男性社員が結婚するとしたら、それは恋愛・交際を経て結婚に至ったんであれば、恋愛結婚になるわけでしょ、統計的にはね。でもそれは、原理的に徹底して見れば、平等対等な人格を持つ近代的個人同士が向き合って、愛し合って結婚に至るという過程ではない。だから実は、ロマンチック・ラブ・イデオロギーが機能するのは、言うなれば、恋愛を強制する構造がお膳立てされている時なんですよね。自由恋愛じゃなくて強制恋愛。

社会の新自由主義化によって失われたのはこうした強制の構造です。となると、人は、男も女も純粋な個人として、己の恋愛能力だけを頼りにパートナーを獲得しなければならなくなる。

この状況は、ロマンチック・ラブ・イデオロギーが理想とする状況なんですが、実はその理想が実現した時、このイデオロギーは機能しなくなる。なぜなら、誰もが恋愛能力を持っているわけではないからです。

この能力格差を新自由主義化は浮き彫りにしてしまった。人は誰しも近代的主体として恋愛できるはずだという神話は、実は、前近代的な価値観や慣習によって成り立っていたという逆説が露（あら）わになった。それがロスジェネ以降の世代が直面した状況なのではないでしょうか。そこからの帰結として、今一方ではインセルたちのフェミサイド、他方では若年層の性愛一般からの逃避が起きていると見てよいんじゃないか。

こうした状況が生じてくる兆候としてあったのが「非モテ」「リア充」といったワードだと思います。こうしたワードは、いつ頃から出てきたんですか。２０００年代だと記憶していますが。

雨宮　そうですね。その頃だったと思います。運動圏では、あえて「非モテ」を冠した「革命的非モテ同盟」（革非同）が２００６年ぐらいから「クリスマス粉砕デモ」「バレンタイン粉砕デモ」なんかをやってました。「恋愛資本主義打倒」などと叫んで、沿道の人たちもほのぼのとした感じで眺めていました。

白井　中央線沿いの地域カルチャー「高円寺系」のノリかな。

雨宮　近いと思います。革非同は面白いので結果的にモテちゃってる人もいましたね（笑）。

それ以外にも「革命的オタク主義者同盟」「革命的萌え主義者同盟」もいて、「三派全学連」と呼ばれていました。ヘルメットをかぶって、完全に全共闘とかのコスプレで、秋葉原のコスプレイヤーたちと一緒にデモしてましたね。

白井 楽しそうだなあ（笑）。結果的にモテちゃったって容易に想像できます。だって面白い人たちなんだから。その中心世代は団塊ジュニアですか。

雨宮 それより少し下だと思います。彼らは非モテをネタとして発信していたんだと思います。「ホワイトデーの3倍返しは利息制限法違反だ！」とかデモしてました（笑）。

白井 そこから10年ぐらい経って、完全に質が変わってしまいましたね。非モテ・アピールはロマンチック・ラブ・イデオロギー批判だけど、同時にネタだったはずが、文字通りになってしまい、こじらせたものになってしまった。

雨宮 そうですね。非モテをネタにしてデモするような人はそもそも孤立もしていない。一方、ツイッターでフェミニストを誹謗中傷（ひぼうちゅうしょう）したりしている人はガチで孤立している人ではないでしょうか。もちろんそうでない人もいますが。

白井 もう1つ差異を挙げると、高円寺系にはもともと学生運動の流れをくむ面があるわけで、だからその非モテ・アピールには資本主義批判の要素があった。ロマンチック・ラブ・イデオロギーは、恋愛産業、それこそテーマパークから旅行業界からアパレルからチョコレート店まで、あらゆる産業が煽りに煽って男女からカネを引き出すために流布されているではないか。

資本主義の都合に踊らされて、恋愛しなきゃ人間じゃないと刷り込まれているんだ、と。そういう視点があったわけです。

けれども、いつの間にか、「資本主義が憎い」から「女が憎い」に変わってしまった。もっとも、こんな具合になってくると、人間の再生産が滞ることになる、というか現にそうなっているので、労働力再生産ができなくなって資本主義が潰れる(苦笑)。これは無意識的だけれどきわめて実践的な資本主義批判、というか資本主義打倒運動かもしれません。

「スクールカースト」という圧

白井　インセルの暴走は日本に限ったことではないですね。アメリカでは大量殺人事件が起きたりして、インセルの問題はきわめて深刻です。日本だって機関銃が身近にあったら、同じようになると思います。銃が規制されているから、起こっていないだけの話で。

雨宮　一方、お隣の韓国ではフェミニズムが力を持った反動として、20代男性の間で反フェミニズムが広がり、彼らが「イデオム」と呼ばれていると聞きました。

白井　この前の大統領選(2022年3月)の結果にもそうした事情が影響を及ぼしたと言われていますね。革新系から保守系へと権力が移行したわけで、経済政策とか外交政策でモードチェンジが求められたことと並んで、あるいはそれらのテーマ以上に、文在寅(ムン・ジェイン)政権が推し進めたリベラルな価値観に対する反発が強く表われたのではないかという分析があります。

雨宮 それにしても、なぜ世界的にインセルが出現し、注目されるようになったんでしょうか。

白井 そこにはいろんな要因が関係しているでしょうが、やはり最も重要なのは新自由主義化だと思います。あるいは「ポスト・フォーディズム」（Fordism／アメリカの実業家、ヘンリー・フォードが開発した大量生産・消費システム）という言葉を使ったほうがいいかもしれません。定型的な労働から労働者の創意が鍵になる生産様式の登場、というヤツです。コミュニケーション能力というよくわからない能力が重要視されるようになる。教育学者の本田由紀氏が言うところの「ハイパーメリトクラシー」（Hypermeritocracy／本田由紀氏の造語で「超業績主義」の意）社会ですね。コミュ力が低いと大変生きづらいということになる。

そして先ほど言ったように、ある意味、近代の理想が完成したこと。パートナーの選択は完全に自由になり、パートナーを持たないという選択も自由になった。それこそ「両性の合意のみ」になったのです。近代的、西洋的文明が、そのような社会を求めてきたことは間違いない。ただし、それが本当に人を幸福にする社会なのかはよくわからない。

いずれにせよ、パートナー獲得競争はより厳しいものとなるわけで、それは例えば「スクールカースト」（学校における生徒間の序列）なんかが昔からあるわけだけど、そういった人間の序列がより一層露骨になるわけでしょう。スクールカースト的なものが社会全般を覆うようになるので、低カースト層はストレスを溜め込んでインセル化し、オタク趣味的なものに救いを求める。そこの構図は万国共通でしょう。

雨宮　子どもの頃、まだ「スクールカースト」という言葉はありませんでしたが、明らかに序列はあり、自分のカーストに見合った振る舞いをしないとたちまち悪目立ちしていじめの対象になるという状態でした。小・中学生の頃は80年代だったので、「ネアカ」「ネクラ」という分類でしたね。もちろん「ネクラ」がバカにされる。そしてオタクはもちろん「ネクラ」に分類され、カースト最下層になる。

白井　わかります。ただし、日本とアメリカを比べたら、スクールカースト下層への差別は日本のほうがゆるいでしょう。アメリカはもっともっときつい。カースト下層に人権などないという扱いを受ける。それで復讐（ふくしゅう）してやるということになって、機関銃乱射にまでいってしまう。コロンバイン高校の事件（1999年4月20日、アメリカ・コロラド州のコロンバイン高校で起きた銃乱射事件）がそれでしたね。

日本はまだそこがゆるっとしている。「日本のオタクカルチャーは世界で人気だから、売っていこうぜ。クールジャパンだぜ」とか言って、政府までそれに乗っかったりしている。

雨宮　90年代後半くらいからオタクも市民権を得てきたというか、日本発の文化の担い手で、クールジャパンでお金を生み出す人たちという扱いになってきました。

白井　海外、特に欧米のオタクは、日本に来たらすごく救われた気分になるそうです。コミケ（コミックマーケット、世界最大規模の同人誌即売会）とか、すごく盛んですから。母国と比べてはるかに市民権を得ている感じがする、という。

雨宮　それだけ自国で迫害されているんですね。

白井　非モテ話からフェミバッシング的こじらせに至る過程についてもう一度立ち返ると、ロスジェネはたぶん過渡期的な世代なんだと思います。男たちはロールモデルを失った。古典的な男らしさはもう古いと言われるけれども、じゃあどうしたらよいのかよくわからない。「男らしさ2・0」（男女平等社会における男のあり方）みたいなものはまだ発明されていませんから。もっともこの傾向はロスジェネの前から始まってますよね。これは女性もそうかもしれないけれど、だいたいどう歳をとってどんな顔になればいいのかわからなくなった。

そこへもってきてコミュ力への要求が高まっているのにもかかわらず、コミュニケーションから逃避する傾向が強まっているのではないでしょうか。非モテで恥ずかしいとか童貞で恥ずかしいとかウジウジ思ってる暇があれば、とりあえず何かすればいいのにと思います。だから、あえて言えば、作家の北方謙三（きたかたけんぞう）さんの名言、「ソープへ行け」は正しいんですよ。行けば何かがわかるでしょう。あるいは、行っても何もわからないということがわかるかもしれない。それでも一歩前進ですよ。少なくとも女たちを恨んでもまったく不毛、逆恨みでしかないということは直感できるんじゃないか。

「俺たちの萌え♥」を汚すな！という情熱

雨宮　オタクの話になったので、オタクの立場になってみると、いろいろな作品の炎上が堪え難いということはなんとなくわかります。自分が心の拠り所にしてきた大切なものを過激なフェミニストに否定され、汚されたというような、それが許せないというのが動機なのかな。

白井　そこはよく論争になりますが、そもそも大きな誤解がありますよね。僕も含め、彼らを諌める人たちが言っているのは、表現の自由を規制する話ではありません。エロいアニメや漫画は、「どうぞ好きに描いてください、制作してください」と僕は思います。それは、疑問の余地がないほど直接に害悪や犯罪でない限り規制すべきものではない。

他方、相当強固なポルノ規制を求めている人たちもいます。僕はそうした考えとは絶対に一線を画したい。いくら悪趣味と見えるものでも、それを好む人がいるとすれば、享受するのは古典的自由主義が規定する愚行権の範囲内です。市民の趣味を公権力が統制することには、僕は絶対的に反対します。

ただもちろん同時に、作品を批判する自由もあるわけで、僕は萌え表現に含まれるミソジニー、あの画一性とあられもないロリコン趣味（ロリータコンプレックス、幼女・少女愛）を、心底クソであると批判いたします。けれども、権力を使ってそういったものを存在しないようにさせろ、とは口が裂けても言わないわけです。

そして、そうしたポルノじみたものを自分の部屋で楽しむことと、公共空間にバンバン掲出することはまったく違う。ポルノの全面的禁止を求める人は全体から見ればごく一部ですし、大半の人は「公共空間にポルノじみたものをベタベタ貼るのはよろしくないから止めてくれ」と要求しているに過ぎません。ところがインセルの諸君は絶対に、この理屈をわかってくれません。

雨宮 確かに、そこがなかなか理解されていなくて「自分たちの好きなものが迫害されている！」という被害者意識が強いように思います。

ただ、私はヴィジュアル系好きな「バンギャ」（ヴィジュアル系バンドの女性ファンの総称）なので、もし好きなバンドが炎上させられたり、なんらかの勢力に政治利用されて「悪い例」として見せしめみたいな扱いを受けたら、ものすごく許せない。

そうした気持ちを抱くと歯止めがきかなくなるというファン心理も理解できる部分はあります。ただ、昨今のアンチフェミの反応には、そこにいろんなルサンチマン（怨念）が乗っかっているようにも感じます。

白井 でも、「燃やされた」というのは、先ほども言ったように、作品そのものが存在を否定されたのではなくて、それを公共空間でベタベタ貼り出すことが抗議を受けているわけです。ただ難しいのは、どこからが公共空間で、どこまでが私的な空間なのか、厳密に考えると簡単に分類できるわけではないことです。

例えば、市役所や公共機関の持ち物だったら明確に公共空間になります。では、鉄道の駅ならどうなるのか。究極的にはJRにせよ私鉄にせよ、駅は私企業の持ち物だから、その会社がOKを出せば問題ないってことになるのか。公共空間なのか、商業施設なのか、そこを厳密に想定しようとするとすごくややこしくなってくる。

さらに言うと、今の大きな文脈として「何でもかんでも美少女に擬人化する文化」が異常に栄えていると感じます。例えば「ウマ娘」（ゲームアプリやメディアミックスコンテンツ『ウマ娘 プリティーダービー』）とか、ゲームやアニメの「艦これ」（DMM GAMES「艦隊これくしょん」）とか。異様です。

雨宮 そうですよね。自衛隊員の募集ポスターも、萌え系の女の子のイラストだったりしますよね。

白井 僕は京都で暮らしていますが、京都の市営地下鉄の利用促進キャンペーン「地下鉄に乗るっ」（2013年~現在）のポスターもそうです。ずっと前からキャラクターは美少女ですから。

雨宮 それは燃えてないんですか。

白井 燃えてない。

雨宮 萌え系イラストだけど、肉体が強調されていないからですか。

白井 それなりに節度のあるデザインだと思いますが、ただ、ちょっとスカートが短いかな。

つまり線引きがむずかしい。「これくらいなら気にならない」と感じる市民がいれば、「これはアウト」という市民もいるかもしれない。

それにしても、いつからこんなにおかしくなったのか、と思います。ひどくアンバランスなことが起きている。公共空間がポルノまがいの萌え系のイラストで覆われたりする一方で、居酒屋からは水着姿のお姉さんの生ビールのポスターが消えました。

かつてはどこの居酒屋でも見かけたじゃないですか。キャンペーン・ガールが生ビールのジョッキを持ってるヤツ。僕の感覚からすると大して性的とも猥褻(わいせつ)とも思えないんだけど、ビールメーカーはポリコレに配慮して廃止してしまった。評論家の吉本隆明が言ったところの「対幻想」の在り方が何かこう大きく変わって、おかしくなったのではないかという気がします。

SNSが地獄の釜の蓋を開けた

白井 いずれにせよ、今の日本はこじれています。ロスジェネの行き場のない憤りが、これまで話してきたようなハケ口、モノ言う女たちに対する執拗な攻撃でしか表われていないことが可視化された。

雨宮 安保法制反対デモには参加しないし、組合に入って労働運動をするようなことはしないけど、フェミニストを潰そうとする活動ならどこまでも真剣にやりぬく男性たちが想像しているより多くいる。そうした光景をここ数年、見せつけられています。安保法制の頃には学生団体「ＳＥＡＬＤｓ」の女性たちへの攻撃もすごかった。それがどんどんエカスレートしている。

白井　気持ち悪いし、地獄が深い。

雨宮　ある意味、本当に「戦争」にすら見えます。Ｃｏｌａｂｏを潰すための準備を続け、相手を常に監視し、ここぞというときに攻撃を仕掛ける。５年前、10年前と比べてＳＮＳは本当に危険なものになりました。私の知り合いが、「ツイッターは核兵器とか原発と同じで人類には扱えない」と言っていたんですが、本当にその通りだと思います。

白井　ドイツの哲学者のマルクス・ガブリエルも同じようなことを言ってました。それにしても、あの人たちはなぜ、自分の好きなポルノグラフィックな表象を公共空間にもあふれさせることにこだわるんでしょうか。そこが本当にわからない。

雨宮　あふれさせたいというより、「自分の好きなものを傷つけるな」という感じじゃないですか。

白井　うん、でも先ほど話したように、あふれさせようとするから非難されるわけですよね。そうか、つまり、ああした表象が公共空間にあふれ出ることに後ろめたさみたいなものを感じていないのか。別にポルノが好きでもいいんだけど、そういうものはこっそり楽しむものだ、っていう従来の常識的感覚がないわけですね。だから、「傷つけられた！」って大騒ぎしてしまう。

経緯をちょっと追うと、この問題の伏線としては、「温泉むすめ事件」なるものがあるんですよね。

雨宮 それは暇空氏もインタビューで言っていました。

白井 「温泉むすめ」というのは、「温泉地をモチーフにした地域活性クロスメディアプロジェクト」だった。日本各地の有名な温泉地を美少女キャラクターに擬人化して、アニメや漫画、ゲームなどのメディアミックスとして展開された。温泉地の観光協会のいくつかは、タイアップをしたんですね。それから、観光庁が後援し、錚々(そうそう)たる一流企業がいくつも後援しました。そういうわけですから、かなり公共性が高いものとなったと言えるでしょう。

その「温泉むすめ」のキャラクターの一部のキャラ設定が、「性差別で性搾取」だと仁藤さんが批判の声を上げたわけです。具体的に言いますと、こんなキャラ設定がされていた。

定山渓泉美(じょうざんけいいずみ) 「可愛い温泉むすめが大好きでいつもスカートめくりをしちゃうイタズラなむすめ。可愛い子ちゃんの情報に詳しく、全温泉むすめのスリーサイズを覚えている」

小野川小町 「『今日こそは夜這(よば)いがあるかも』とドキドキしてしまい、いつも寝不足気味」

和倉雅奈 「隠し切れないぐらいの大人な雰囲気の持ち主で、肉感もありセクシー」

仁藤さんの批判がSNS上でバズって、「これは何だ? ひどすぎる」という批判が巻き起こりました。それでどういう展開をたどったか、報道を引用しておきます。

「そんな最中、温泉むすめのウェブサイトに掲載されていたプロジェクト後援企業の一覧が、今回の騒動を受けてか、観光庁を除いてすべて削除されていることが判明。もともと協賛には読売新聞、キヤノン、スカイマーク、富士フイルムなどといった、名だたる大企業が名を連ねていただけあって、大きな衝撃が走る結果となった。

この突然の一斉削除によって、温泉むすめを女性蔑視だとするフェミニスト側からは「温泉むすめの女性蔑視的表現に対して、スポンサーがノーを突きつけた」などとの声があがるが、一方では「スポンサーサイドへクレームが広がらないよう、サイト運営側がまとめて削除したのでは」といった見方もある。騒動の勃発（ぼっぱつ）からものの1日程度という短時間での全削除ということで、前者のように各スポンサーが個別に判断するには、時間が無さすぎるというのだ。

実際、今回の騒動を受けてサイト内の様々な表現が差し替えられているようで、フェミニスト側から批判のあった「スカートめくり好き」「夜這い待ち」といったキャラ設定は、いつの間にかに修正がなされている。状況としては、フェミニズム側の抗議がほぼほぼ通っているといった格好だ。

しかし、フェミニスト側の抗議活動は止むことは無く、当プロジェクトを運営する株式会社エンバウンドや後援の観光庁などに対して、黙って修正するだけでなく謝罪文や声明を出せといった声が。さらに非難の矛先は各キャラクターの設定にとどまらず、温泉むすめ全員が性的消費をされているとの主張も飛び出しているようだ」(『MONEY VOICE』2021年11月17日)。つまり、観光庁も後援企業も抗議の声に圧倒されたかたちですね。僕の感想としては、これが非難を受けたのは当然だと思います。非常識と言うほかない。

雨宮 この騒動は2021年ですね。暇空氏は、それで仁藤さんをターゲットにした。

白井 そういうことのようです。「温泉むすめ」が騒動になったとき、フェミ陣営の抗議に対して、このキャラクターが好きなオタクたちが、「表現の自由」の侵害だと言って反発した。ですが、実際の展開は今述べた通りですから、オタクの側は完敗したかたち。この事件が、暇空氏に言わせれば、「大好きな作品が燃やされた」となる。今回のColaboへの攻撃は、その意趣返しというわけで、そこに多くのオタクが同調しているわけですね。

「萌え」と新しい階級社会

白井 「温泉むすめ」の炎上をめぐってはこういうこともありました。「もう、ややこしいから」と自発的にタイアップをやめた居酒屋があって、そこにオタクが猛烈な嫌がらせ電話をかけたりした。

雨宮 うわー。

白井 そもそもなぜ、そんなややこしいことを行政や観光施設側はやったのか。

実際にこれは、経済効果が見込めそうなんです。大学でそうした学生をたくさん見ているので、よくわかります。アニメ絡みの聖地巡礼はものすごくはやっていて、愛好者が訪れて、経済効果がある。そこに観光産業や行政が期待するんでしょうね。「温泉むすめ」に関しては、いくらでもやりようがありました。「温泉むすめ」のキャラクターはエッチな要素がありすぎた。公的機関がチェックして、もっと抑えてくださいというような要求を出して修正しなかったのかはなぜなのか、実に不思議です。

雨宮　でもそもそも、なんでそういった萌えテイストのものばかりがいろんなところで幅を利かせるようになったのかも謎です。逆に女性客を減らすことになったりもすると思うんですが。

白井　なにせ馬から軍艦や戦車、温泉まで美少女に擬人化しないと気がすまないというのですから、信仰のようなものなのでしょう。信仰になるとオタクは手がつけられない。女性の目線がどうとか、まるで気にならないようです。

雨宮　そう言われれば確かにそんな気がします。

白井　趣味として愛好し、消費する分には他人に直接の迷惑をかけないので、個人の自由です。信仰だろうと、帰依しようと、自分の好きにすればいい。それで終わる話です。ただそれを公共空間に際限なく持ち込むとなると次元が違ってくる。それを批判されたら、あそこまで攻撃的になってしまう。「この節度のなさはなんだろう」といつも不思議に感じます。

雨宮　そこに何か、重要なアイデンティティ的なものがあるんでしょうね。

白井 それに関して言うと、子どもができて1つ気づいたことがあるんです。子どもができてから、すごく久しぶりに書店の児童書のコーナーに足を運ぶことになりました。ざっと書棚を眺めてみると何かがおかしい。違和感がある。それは何かと言うと、絵本などの児童書全体のだいたい半分の装画やイラストが萌えテイストなんです。もう半分が在来型というか、さまざまな作風の画によるものです。この光景には驚きました。だからもう、「幅を利かせている」どころではない水準に達しています。大洪水で浸されているといった感じ。

何がイヤかって、ああした絵柄の画一性です。児童書の棚を見ていて気づいたんです。ああ、これは階級の問題なんだ、と。一種の文化資本格差と言ってもよい。「これはなんかマズいぞ」と判断する親は、在来型の絵本を子どもに買い与えることになる。ウチは完全にそうですが。特に違和感を持たない親は、萌え萌えなものを買うわけでしょう。

だから思ったのです。これは、「一億総中流」社会が崩壊した後の「新しい階級社会」の文化状況を映し出した光景なんだと。マーケティング・リサーチャーの三浦展(みうらあつし)氏が「下流社会」の概念を提唱(『下流社会 新たな階層集団の出現』光文社新書、2005年)して話題になりましたが、それとこの光景はつながっている。三浦氏の言った「下流」は、必ずしも経済的に貧しいことととイコールではない。それは価値観とか生活様式、立ち居振る舞い、人生に対する態度によって規定されていました。

だから、萌えテイストの大洪水は、急速に膨れ上がった「下流」の需要によって支えられているのではないか。雨宮さんは今「アイデンティティ」という言葉を出したけれど、たぶんそれは当たっている。つまり、階級的アイデンティティと結びついた表象なのでしょう。だからこそ、それに対するネガティブな反応に対しては、きわめて敏感になる。

「半グレ」の甘い罠

白井　他方で、「下流」に押し込められる状況のなかで、違うやり方を模索する方向性も出てきます。それは犯罪の道です。ＮＨＫが半グレを特集（ＮＨＫスペシャル「半グレ 反社会勢力の実像」２０１９年7月27日放送）して注目を集めました。いろんな犯罪の背後に半グレ集団がいて、その１つが「オレオレ詐欺」です。

雨宮　そうですね。

白井　半グレがらみでは、京都で起きた事件が悪質だということで有名になりました。京都の有名大学のイケメン学生のチームみたいなものがあって、それが半グレ集団とつながっていたんです。

彼らが何をしていたかと言うと、初心（うぶ）な女子学生に色恋を仕掛ける。「先輩がやっている」と称するバーで飲ませるんですが、それがとんでもない不明朗会計で大きなツケを作らせる。支払えないから、女子学生に借金をさせて風俗店で働かせる。そんなビジネスをやって捕まった若者たちがいます。「Nスペ」で彼らを束ねていた半グレ組織のトップの言葉が紹介されたんですが、ある意味で理にかなっている。

雨宮　どういうコメントですか？

白井　こういう言い分です。「今の世の中、真面目に会社で働いて、どんな意味があるんだ。苦労して勉強して一流企業に入っても、もらえる給料はほんの少し。いわゆる真っ当な仕方でカネを稼いでも空しい（むな）だけだ。君たちが乗ってきたレールに意味はなかったのだ。だから君たちはもう、親のロボットになることはやめなさい」

半グレ集団だけど、ちゃんとした会社組織になっていて、この言葉は彼らの研修で語られたらしい。だから若者も、半グレのトップの理屈に感銘を受けて、犯罪に突っ走っていく。

雨宮　しかも稼げるわけですよね。

白井　稼げます。「Nスペ」の特集で大阪の有名な半グレのリーダーが２人出てきた。その１人がある種のカリスマで、大阪のミナミにいて、あだ名が「テポドン」（勇介、本名・吉満勇介）。

雨宮　テポドンって（苦笑）。

白井　テポドン氏は、飲み屋とかバーなどをいくつも経営していて、男前だからいろいろな雑誌に出たり、ファッションモデル活動もしていたりする。SNSももちろんやっていて、全国にファンがいっぱいいる。「Nスペ」の取材中も、「岡山から来ました。すごく憧れ（あこが）ています」と語る若い女性が飲みに来ていました。

そのテポドン氏が、「することのない奴がいたら、俺んところに来たらいい。なんかすることはあるから」とカメラの前で言う。「なんかすること」が、やばいことだったりする可能性がある。

雨宮　危険な匂いが……。

白井　はい、そうなんです。しかし率直に言って、この発言はカッコよかったです。われわれロスジェネ含め、若者が大人からそんな優しい言葉をかけられることなんてないじゃないですか。だからうっかり励まされる若者はいるでしょう。

雨宮　ですよね。

白井　けれども、この番組の放送後に大騒動になった。この番組は、表向きには「現代のいろいろな犯罪の背後には半グレ集団がいます。実にけしからん奴らですね」というメッセージを出していましたが、僕は観ていて別の意図を感じましたね。ある意味で彼らの魅力のようなものが伝わってしまっている。

それでテレビを見た大阪府警の幹部が激怒したわけです。「あんなヤツらを美化して放送することは絶対に許さん」と摘発に動いた。結局、テポドン氏は強要罪で捕まって、懲役1年2カ月くらって、最近出てきたらしいです。なお、この逮捕について無理矢理なものだとテポドン氏は抗議しています。

雨宮　若者にしろ、ロスジェネにしろ、行き場のない人が優しい言葉をかけられたらつい乗ってしまう気持ちはわかります。

だって真面目に働いて報われる社会じゃなくなって30年くらい経つわけです。どんなに頑張っても一定数の人は絶対に報われない。そうなるとこういう人たちが出てきて当然です。テポドン氏は、自分は若者を救っていると思ってるんですかね。いびつな世直しというか。

白井 世直しとまでは考えていないんじゃないかな。テポドン氏は最近著作を出しました（勇介著『テポドン』講談社、2022年）。そのなかで自分の半生を語っていますが、自分が行き場のない若者たちを救ってきたのだ、というような主張はしていないですね。

雨宮 でも「仕事のない人たちを助けている」くらいには考えていそう。

白井 現代の世直しは、そうしたねじれた形をとるわけです。

ロスジェネは「組織」を信じない

白井 世代論で考えてみると、ロスジェネの世代とその上の世代で、ある種の気風というか、根本的に変わった部分を感じています。それは「組織」へのスタンスです。ロスジェネは「組織」というものを一切信じなくなった。僕らの世代から、組織への忠誠心がゼロになった。そう思いませんか。

雨宮 それはあると思います。

白井　政党は最初から視界の外。自分の勤め先も信じない。「みんなで会社を支えよう！　発展させよう！」といった気風が、ロスジェネより前の世代、それこそ団塊の世代にはあったと思うんです。それが僕らの世代からなくなった。

雨宮　ですね。

白井　長期的な視野に立てば、そんな会社は間違いなく荒廃していきます。「もうダメだ」となったとき、社員は誰も本気で、そんな会社や組織を立て直そうとしません。さっさと逃げ出すか、潰れるまでぶら下がるか、そんな行動しかとらなくなる。企業に限らず、あらゆる組織が劣化していく。

雨宮　組織にいる勝ち組も同じ考えなんでしょうか。

白井　どうなのでしょうね。組織に対する愛着とか忠誠心みたいなものは劇的に低下したので、その組織がうまくいっている時はともかくとして落ち目になった時、何が何でも立て直したいというような内的モチベーションがない世代なのだと思うのです。

ロスジェネが、組織を信用しなくなったのは当たり前の話です。組織がどれだけ、1人ひとりの人間を救ってくれましたか？　それこそ組織に使い捨てられてきた。ロスジェネはいろんな経験を通して、組織の暗部を嫌というほど知らされた。

雨宮　組織そのものだけではなく、同じ組織や学校にいる相手も信頼していない。そもそも自分が生き延びるために蹴落(けお)とす相手、出し抜く相手でしかない。「ロスジェネで連帯して、この状況を打破しよう」とは絶対にならない。

白井 ならない、ならない。だから「全共闘」（全学共闘会議、1968～69年に日本の各大学で起きた学生運動の連合体）みたいなことはロスジェネでは到底起こりそうにない。

雨宮 団塊の世代は学生運動にしろ、労働組合にしろ、連帯してたっていうことが信じられない。なんでそんなことが可能だったのか。

白井 知り合いの団塊おじさんは、こう言っていました。「相手を蹴落とすことなど考えもしなかった」。

雨宮 そこがすごいと思いません？　他人に対する視線が、「自分が生き残るためにこいつを騙して出し抜いてやろう」ではない。人間関係のベースに「信頼」がある。

白井 たしかに。

雨宮 ロスジェネは、競争ベースの人間関係しか知らない気がする。しかもそこで負けたら本当に一生非正規とかそういう世界で、椅子取りゲームに負けた瞬間、人生が詰む。そうなると当然、対人関係も人間観も変わってくる。

団塊の世代の連帯体験は、すごい成功体験なんです。人間を信じる体験をしているわけですから。ロスジェネには、それがまったくない。競争社会と自己責任社会は、絶対に連帯できないロスジェネを生んだわけです。そんな中、唯一連帯してるのが「フェミニストを潰す」運動だけだったら辛すぎます。

ロスジェネとサブカル

白井　今話した知人の団塊おじさんは、こうも言っていました。「1970年代は、フォークソングにしろ、エンタメの中に団結を求める動きがあった。ロスジェネはエンタメを通して連帯や団結ができないのか。みんなでペンライトを振れないのか」（笑）

雨宮　それも無理でしょうね。地方のマイルドヤンキーと都会のクラブ好き、あるいはサブカル好きと港区女子（東京都港区で華やかな生活をする若い女性）はまったく違う世界観を生きていて、共通の言葉すらない。ちなみに私にとってのヴィジュアル系バンドは他人と自分を差別化する要素でした。「クラスの誰も好きじゃないから好き」みたいな。

そもそも今の時代、同世代みんなが知っている曲って、あるんですか。宇多田ヒカルとかが最後じゃないですか？

白井　どうでしょうか。ナショナルカルチャーとしての歌謡曲やポップスは、もう死んでしまったのではないか。かろうじて最後に成り立ったナショナルカルチャーが、宇多田ヒカルさんあたりじゃないですか。だからNHKの紅白歌合戦も最近は、敬老会みたいになっている。僕もベテランしか聞いたことがなくてわからない。

雨宮　ですよね。

白井　加山雄三の最後のステージに涙するしかない（2022年12月の『NHK紅白歌合戦』でライブ活動を引退）。

雨宮　宇多田ヒカルと言えば、ネットフリックスのドラマ『First Love初恋』（2022年）は見ました？

白井　見てないです。「すごい」と雨宮さんが言ってましたね。

雨宮　もうロスジェネ地獄盛りだくさんのドラマなんです。北海道の高校生の四半世紀が描かれるんですが、まず、高校時代すごくキラキラしてた主人公たちはタクシー運転手（満島ひかり演じる）と警備員（同・佐藤健）になっていて、同世代と話すと就職氷河期で100社落ちた経験が語られたりします。ちなみに男の主人公は高校を出て自衛隊に入るんですが、そうしたらイラク戦争が始まってイラクに派遣されたりもします。

　そんな主人公が小泉首相の「どこが戦闘地域でどこが非戦闘地域なのかわかるわけないじゃないですか」という国会答弁を見るシーンがあったり、自衛隊のイラク派遣に反対する市民運動も描かれる。そうして東日本大震災が起き、主人公は被災地に派遣され、というように、この四半世紀の日本とロスジェネの「失われた30年」が描かれています。

白井　それはリアルですね。ドラマや小説など、この30年間の時代経験を総括しようという作品がだんだん出てきていると感じます。例えば最近僕は、桐野夏生（きりのなつお）さんの小説『メタボラ』の文庫解説（文春文庫、2023年）を書かせていただきました。この本が最初に出たのは200

7年だから先駆的で、まさにロスジェネ世代の経験を描き尽くそうとした作品です。やはりこれから当事者たる僕らの世代でそれをやらなければならないと思うのです。

自己肯定感の高い団塊おじさん

白井 カルチャーの話題が出てきたので少し話すと、「サブカルチャー」という言葉が出てきたのは1980年代だったはず。これは団塊の世代、全共闘世代の革命の夢が終わった後に出てきたワードです。

かつてメインでないカルチャーは、1970年代までは「カウンターカルチャー」、主流派に対する対抗文化とされていました。それが80年代以降、サブカルになっていく。ただしそれは、主流派のカルチャーに対する「カウンター」ではなく、ただ単に「サブ」と呼ばれるようになった。つまり、対抗的要素が削ぎ落とされたのです。「サブ」だと、「メイン」や「ハイ」に対する批判や対抗として存在するのではなくて、ただ単に併存しているだけということになります。

戦後から今日まで、政治的志向性から世代を整理するならば、もうここ30~40年くらい圧倒的に保守の側に傾き、さらには権威主義にさえ傾斜する姿勢が続いています。自公政権が盤石になるのも当然です。

郵便はがき

料金受取人払郵便

牛込局承認

8133

差出有効期間
2023年 8 月
19日まで
切手はいりません

162-8790

東京都新宿区矢来町114番地
神楽坂高橋ビル5F

株式会社ビジネス社

愛読者係 行

<table>
<tr><td colspan="3">ご住所 〒

TEL:　　　(　　　)　　　　FAX:　　　(　　　)</td></tr>
<tr><td>フリガナ
お名前</td><td>年齢</td><td>性別
男・女</td></tr>
<tr><td>ご職業</td><td colspan="2">メールアドレスまたはFAX

メールまたはFAXによる新刊案内をご希望の方は、ご記入下さい。</td></tr>
<tr><td colspan="3">お買い上げ日・書店名
年　月　日　　　市区
町村　　　書店</td></tr>
</table>

ご購読ありがとうございました。今後の出版企画の参考に致したいと存じますので、ぜひご意見をお聞かせください。

書籍名

お買い求めの動機

1　書店で見て　　2　新聞広告（紙名　　　　　　　　　）

3　書評・新刊紹介（掲載紙名　　　　　　　　　）

4　知人・同僚のすすめ　　5　上司、先生のすすめ　　6　その他

本書の装幀（カバー），デザインなどに関するご感想

1　洒落ていた　　2　めだっていた　　3　タイトルがよい

4　まあまあ　　5　よくない　　6　その他(　　　　　　　　　)

本書の定価についてご意見をお聞かせください

1　高い　　2　安い　　3　手ごろ　　4　その他(　　　　　　　　　)

本書についてご意見をお聞かせください

どんな出版をご希望ですか（著者、テーマなど）

以上がきわめて一般的な整理ですけれど、他方で、価値観のリベラル化や個人主義化も確実に進行してきたわけです。そう単純に保守化したと言い切れるものでもありません。文芸評論家の絓秀実(すがひでみ)は、『革命的な、あまりに革命的な――「1968年の革命」史論』(作品社、2003年)でこうした趣旨のことを言っています。「1968年以降、世の中は圧倒的にリベラルな方向になった。それは止めようのない津波みたいなもので、その意味で敗れたと言われてきた68年革命(1968年5月のフランス・パリでの大規模ストライキ、「五月革命」をはじめとする日本の全共闘運動を含む、諸国で同時多発的に起きたスチューデント・レボリューション、広範な社会的異議申し立て運動)は本当は勝ったのだ」と。

絓秀実の考えが正しいとすると、今のインセルたちの動きは、反68年革命であり、全般的なリベラル化に対するカウンターカルチャーであるとの解釈が成り立ちます。ただし、この「カウンター」はミソジニックであり権威主義的であるわけなんですが。

雨宮 それは興味深い解釈ですね。ちなみにインセルのことを考える1つのヒントにもなると思うんですが、私が団塊世代に対してもっとも不思議なのは、なぜ団塊の人、特に男性たちは自己肯定感が高いのかということです。

白井 (大笑)。

雨宮 ロスジェネは「生きてて すいません」みたいな姿勢がけっこう基本な気がします。競争させられ、比較させられ、ダメ出しばかりされ、義務教育課程を終える頃には持って生まれた自己肯定感をすべて奪われているような。

団塊の世代は逆に見えるんですよね。自己肯定感が高くて、誰も自分が生きていることに対して、申し訳ないと感じていない。あの自己肯定感の高さは、いったいどこからきたのか。そこが一番謎なんです。

白井　そこは人口も重要じゃないですか。団塊の世代は人数が多いから、数を恃(たの)んで態度がでかいと昔から言われてきましたね。

雨宮　でも、ロスジェネの年長世代とかぶる団塊ジュニアも数は多いじゃないですか。同じように団塊の世代も数が多くて競争させられたのに、どうしてみんな、そこで病んでないんでしょうか。

やっぱり戦争があったからですか。戦争が終わって、敗戦を乗りこえて、たくさん人が死んだという記憶があって、とにかく生きてさえいればOKという空気があったのか。そこに経済成長も重なって右肩上がりで、なんとなく自己否定せずにやってこられたのか。

白井　それはあるかもしれません。ロスジェネも、子ども時代はかろうじて右肩上がりの経済の中で生きてきた世代なんです。バブル時代も覚えている。ところが学校を卒業して、いざ社会に出る年齢になった時、「あれ、話が違うじゃないか」となった。就職氷河期であり、その後も給料が上がらない。

雨宮　ですよね。

白井　思うんですが、僕らの世代はこの時代に何かが決定的に失われたことをよく知っている。もちろん失われたものとは、具体的に言えば、経済成長であるとか、生活の安定とか、それなりの将来展望とかそういうもの。それと並んで、何かこう抽象的にしか言えないんだけど、「何か」が、たぶんそれは幸福の根拠であるような根源的な何かが失われた気がしてならないんです。そういう喪失感をロスジェネ世代は抱えている。他方、後続の生まれてこの方つねに不景気な世代は、いわば「何かを失った経験を失った」んです。

そうこうするうちに、新しい階級社会は確実に形成され、階級格差はどんどん広がってきた。それが間違いなく社会不安をもたらすことなど誰でも理解しているはずなのに、階級社会化に対して諦めや無関心の感覚が蔓延している気がします。

雨宮　ちなみに「親ガチャ」という言葉もこのところ流行ってますね。どの親のもとに生まれるかで貧困が再生産されたり、高学歴が再生産されたりする。

白井　その傾向がより露骨になっているわけですよね。

雨宮　貧困も強固に連鎖しています。ひと昔前は親が貧乏で生活保護世帯でも、自分で努力さえすればのし上がることができた。今はそれがまったくない。

白井　そうした状況に拍車をかけているのが教育の制度改革です。昔はお金がなくても、市販の参考書で一生懸命勉強すれば、一流大学に進学できました。ところが最近は、そうした枠を減らして、「学力以上に経験を重視する」とかバカなことを言い出した。

雨宮　ああ、それは一番ヤバイ。

白井　入試制度を改悪してきたわけです。総合型選抜入試（旧「AO入試」）がその最たるもの。このやり方で、金持ちの子どもが労せずしてブランド大学の入学資格を手に入れると、社会にとっていいことはなにもない。確実に階級の固定化をもたらします。

画一的なペーパーテストは相対的に平等なんです。「塾に通う・通えない」「家庭教師を雇える・雇えない」という有利不利はある。ただし、学力テストの点数で合否を決めるやり方は、どんな人生経験をしてきたかに点をつけるやり方よりもはるかに平等です。子どもが珍しい経験を積めるかどうかは親の資力次第なのですから。

同時代のカルチャーは何もない

白井　さきほど「バンギャ」の話がありましたが、雨宮さんは音楽をやりながら、右翼で活動していたんですよね。

雨宮　右翼団体内でバンドを組んでいたんです。90年代後半、思えば小室ブームの時代に愛国パンクバンドをやってました（笑）。小室ブーム、白井さんはかすってますか？

白井　ええ、もちろん。ブームの絶頂期は僕が大学生だった頃かな。あまり聞いていませんでしたが。僕は見ていないんですが、２０２２年の『ＮＨＫ紅白歌合戦』に小室哲哉が出て、トランスジェンダーなのか、「すごく女性的になっていた」と話題になっていました。

雨宮 そうなんですか？ 知らなかった。毎年、年末年始は都内の炊き出しを巡っていて紅白の時間は外にいるので。

白井 （スマホで検索）今ググってみたら、篠原涼子と一緒に出てきて、髪型が女らしくなっています。パンツ姿だけれど、パッと見るとスカートを穿いているのかなと思ってしまう。

雨宮 安室奈美恵や華原朋美といった小室ファミリーのスターが人気だった90年代後半の私は、どっぷりサブカルの世界にいました。当時は鬼畜ブームなどと言われ、死体写真やタトゥー、身体改造、ゴミ漁り、薬物、洗脳などを扱う雑誌が若者に売れていました。『別冊宝島』『世紀末倶楽部』『BURST』『危ない1号』などです。それらを消費していた層は、確実にキラキラした小室ブームに乗れないロスジェネが中心だったと思います。そのかわいそうなロスジェネの1人が私でした（笑）。白井さんは？

白井 僕の場合は、キラキラもしていませんでしたが、鬼畜系サブカル（悪趣味系のサブカルチャー）にハマったりもしませんでしたね。「渋谷系」（90年代流行のJポップ、ファッションカルチャー）とかいうものも流行ってたらしいけれど興味がなかった。何か、同時代のものに特に興味がなかったんですよね。

今でもそういう傾向はあるのですが、世の中で「これは新しい！」とか言われて騒がれていても、「まあどうせ本当は新しくなんかないんだろ、売らんかなで騒いでるだけだ」なんていうふうについ斜に構えてしまう。だからその頃は、古めの本や音楽に触れていたっていう感じがしますね。あとはだいたい飲んだくれていたかな。お互いあまり明るくありませんね。

雨宮　暗い青春でしたね（笑）。

白井　「カウンターカルチャー」の話をさきほどしましたが、団塊の世代が声高に掲げた反抗のカルチャーは、70年代で終わったと思います。そのあとは、さまざまなカルチャーがただひたすらポコポコと併存しているだけの状況になった。

90年代以降ぐらいから、カルチャーを世代で共有する感覚が持てなくなってきた。世代でカルチャーをくくる歴史が終わってしまった。同時代の人と話しても、共通項を見出すのが難しかったりする。

雨宮　みんなが好き、みんなが知っているカルチャーがそもそもない。

白井　もちろんロスジェネ世代も、いろんなカルチャーが併存するなか、共通経験はありました。観ていたテレビ番組が同じだったり、印象に残るスポーツイベントがあったり、同じ選手のファンだったとか。でも、そのくらいですね。ファッションはどうですか。

雨宮　私が20歳頃、同世代は雑にいうと安室奈美恵のアムラーか、篠原ともえのシノラーに二分されていました。シノラー系は『CUT・iE（キューティ）』（宝島社）という雑誌を読んでいたと思います。『CUT・iE』には90年代前半、いじめと死体と生きてる実感のなさみたいなものがテーマの岡崎京子の漫画『リバーズ・エッジ』（1993〜94年）が連載されていました。

ウィリアム・ギブスン（アメリカの作家）の「平坦な戦場で僕らが生き延びること」という詩が見開きでドーンと登場します。あの漫画はロスジェネ女子にすごく影響を与えました。同世代女子はみんな、岡崎さんの作品を読んだと思います。

その少しあとに出てきた雑誌に『ＫＥＲＡ』（ジェイ・インターナショナル、１９９８年〜）があります。「ゴスロリ」（ゴシック・アンド・ロリータ）「ロリータ」なんかも取り上げるファッション雑誌の草分けでした。

どちらの雑誌も人気はありましたが、「自分の世代のもの」「私のカルチャー」という意識はあんまりなかった。大人たちが仕掛けたマーケットでしかなく、「自分たちが生み育てた文化」ではまったくなかったからです。

白井　僕の個人的資質の問題なのか、時代がそうだったのか、そこは雨宮さんにぜひ聞いてみたいところです。つまり僕自身には、「我々の世代がこんな文化を作った」「こういう時代の流れを作った」という実感が一切ない。何一つない。

雨宮　私もまったくない。例えば雑誌は出版社の人が作って売るもので、私たちはそれをただ消費するかしないかの選択肢しかなかった。上から降ってくるカルチャーに、自分が乗るか乗らないかの話で、自分たちから生み出したカルチャーではない。生み出す余地もありません。つねにマーケティングされていて、その掌（てのひら）の上で「あなたはどれを消費しますか、選びなさい」しかない。消費者としてしか生きてないのに、いきなり有権者扱いされても困るというくらいに、ロスジェネは消費しか教えられてこなかったと思います。もちろん、その下の世代も。

白井　何とも寂寞（せきばく）たる話ですが、ある意味、そうした感覚がなくても割と平気で生きていられるのは、僕も、雨宮さんも、物を書くとか、発言することを仕事にできているからでしょうね。「同時代のカルチャーは何もない」と感じても、そこに不自由さ、生きづらさは感じないので。

嘲笑と冷笑とひろゆき人気

雨宮　1990年代の鬼畜系サブカルの特徴は、すべてをフラットにしたことだと思います。右翼も左翼も死体もドラッグもゴミ漁りも、みんなただの「尖ったもの、エッジなもの、変なもの」として紹介されていた。私はサブカル雑誌で初めて右翼や左翼の存在を知りました。

　しかもそういう雑誌のスタンスは基本的に嘲笑（ちょうしょう）です。「左翼の奴らがとんでもないビラをまいてたぞ」とか「右翼がこんなことしてた」「部落解放同盟は昔こんなことやってたぞ」など、とにかくまとめて馬鹿にし、見下し、笑う。

白井　なるほど。そう考えると我々の世代、ロスジェネのカルチャーの背骨をなしているのは「冷笑」「嘲笑」となりますね。「我々の世代のカルチャーとはすなわち冷笑、嘲笑である」。いきなり端的なる結論が出てしまった。

雨宮　それが2000年代になって、ネットでただで見られるものになった。そうしたら、その手の雑誌はみんな廃刊してしまった。

白井 そのネット社会の総本山が「2ちゃんねる」（現「5ちゃんねる」）でした。考えてみれば、ひろゆき（西村博之）は我々と同時代、同世代です。雨宮さんは、ひろゆきをどう評価しますか。

雨宮 うーん、私より1歳年下で彼もロスジェネですよね。好きではないですが、ああいうスタンスって同世代としてどこかわかるというか、結局自分は何もせず高みの見物をして嘲笑するというのが、もっともリスクを取らない上、自分を賢く見せられるということを熟知していますよね。新基地建設反対の座り込みがされている辺野古（へのこ）でのふるまいなんかも。

だって私たちロスジェネは何かを訴えて、その声がどこかに届いたことなど一度もない。どころか、無視され続けてきた。声を上げて無視され続けてる人って間抜けに見えてしまうから嘲笑されるし、すでに諦めた人間からするとものすごく目障りなんですね。こっちはとっくに諦めて思考停止してなんとか折り合いつけて生きてるのに、まだ何か変えられると期待してるのか、と。そういう人たちにとって、ひろゆき氏のスタンスは共感できるものなんだと思います。代わりにバカにしてくれる。

白井 その解釈はとても当たっていると思います。冷笑して、なにもかも馬鹿にしてきた。そこでのアイロニーは、いくら冷笑、嘲笑したところで、お腹が一杯になるわけではまったくないことですね。冷笑、嘲笑のカルチャーは、共感や連帯も生みません。

雨宮 ただ私自身、サブカルにどっぷり浸かっている時、ひろゆき氏みたいなスタンスだったと思います。で、同じサブカル趣味の人たちと地獄みたいなコミュニケーションをしていた。

白井 地獄のコミュニケーション（苦笑）。

雨宮 誰かを冷笑して嘲笑することしかしていなかった。高みの見物をして誰かを上から評価して馬鹿にするだけ。

白井 冷笑、嘲笑のカルチャーが日本の社会にもたらした害悪は、相当深刻です。ろくなもんじゃない。

雨宮 今から思い出しても、すごく不毛だったけど、当時の私には必要だった。自分がフリーターで社会の最底辺で日々踏みつけられていたから、誰かをバカにしないと生きていけなかった。そう思うと、今のひろゆき人気の理由もよくわかります。

白井 まあ、僕は中高が私立の男子校だったんで、男子校文化のなかで育ったから、それで口は悪くなり、その後大学に入ると小生意気なワナビー知識人文化（wannabe／「○○になりたい」の意）に染まった。仲間内で話していると、誰が最高に辛辣（しんらつ）なことを言えるか競争みたいになるんですね。

早い話が誰かをバカにしたり見下したりするってのは楽しいわけです。だけど、そこにも倫理的な一線はあるわけで、社会的弱者とか貧困者とかを見下したりバカにしたりするのは醜い。逆に強者、支配者、権力者を風刺したり嘲笑したりするのは、それ自体が抵抗の１つの形態でしょう。

「誰でもよかった」から特定の属性を名指す事件へ

白井　冷笑と嘲笑の話は、カルチャーだけの問題にとどまらず、政治にもつながります。自公政権は、ロスジェネ世代に限らず、あらゆる貧困階層を放置し、中産階級からは搾取を続けてきました。国が貧しくなり続けるなか、冷笑と嘲笑の社会は根深く広がっていった。

雨宮　日本が貧しくなって「財源が厳しい」となると、命を選別するような空気が正当化されやすくなります。元アナウンサーの長谷川豊氏の「人工透析患者は自己責任」という文章（ブログ「本気論 本音論」2016年9月19日）もそうですし、メンタリスト・DaiGo氏の「ホームレスにお金をかけるなら」発言（YouTubeチャンネル、2021年8月7日）や「生産性がない」という杉田水脈原稿（『新潮45』2018年8月号「『LGBT』支援の度が過ぎる」）がそうです。

この傾向は2000年代から始まったと思います。まず2000年代に公務員バッシングがあり、2012年には片山さつき議員が中心になった生活保護バッシングがあった。それが今はベビーカーヘイトや子連れヘイト、そして高齢者ヘイトにまで行っている。どれも、「怠けて楽して得している奴らがいる」というような発想が共通しています。もちろん「在日特権」も含まれるでしょう。

昨年、秋葉原事件の加藤智大の死刑が執行され、今、政治学者の中島岳志さんと対談本を作っているのですが、そこで2000年代と2010年代の違いの話になりました。

2000年代は「誰でもよかった」という無差別殺人がいくつか起きた。秋葉原通り魔事件が起きる数カ月前には土浦で無差別殺傷事件（2008年3月19、23日）が起き、こちらも「誰でもよかった」と供述しています。

それが2010年代に入り、変わってきた。2016年に起きた相模原事件では、殺す対象は「誰でもよかった」ではなく、「障害者」でなければならなかった。小田急線の事件は「幸せそうな女性」でなければならなかった。

ウトロ地区（京都府宇治市。1940年代から在日朝鮮人労働者たちの飯場跡に形成された集落）の事件もありました。2021年8月、「韓国人が嫌いだった」という22歳の男がウトロ地区に放火した事件です。翌22年3月には、立憲民主党の参議院議員、辻元清美事務所の窓ガラスが割られ、29歳の男が逮捕されていますが、彼はその後4月にコリア国際学園に侵入して火をつけ、5月には大阪の創価学会施設の窓ガラスを割っています。

両者に共通するのは、情報をネットで得ていたこと。「Yahoo!ニュース」のコメント欄やツイッターやユーチューブなどを見て、特定の層に勝手に憎悪を募らせた。辻元事務所を襲った男のほうはユーチューブやツイッターで情報を収集し、立憲民主党と在日コリアンと創価学会を「反日的」と思うようになったそうです。ここに創価学会が含まれることで、彼の情報収拾には思想性も法則もないことがわかると思います。とにかく、「敵」を見つけ、名指し、実際に行動に出るという事件がすでに起きている。「誰でもよかった」ではもうなく、特定の属性を名指している。

白井 そうなんです、どんどん特定性が高まってきていて、それが本当に危機的です。

雨宮 相模原事件も「障害者ヘイト」でジェノサイド（集団殺害、大量虐殺）ですよね。私はあの事件の裁判をずっと傍聴していて、『相模原事件・裁判傍聴記 「役に立ちたい」と「障害者ヘイト」のあいだ』（太田出版、2020年）にまとめました。

この裁判ではいろいろと驚くことがありましたが、もっとも驚いたのは、植松聖（うえまつさとし）被告が小学2、3年生くらいの時に「障害者はいらない」という作文を書いていたことです。神奈川新聞の記者が面会時にどんな内容か聞くと、「戦争をするなら障害者に爆弾を付けて突っ込ませたらいい。戦争に行く人が減るし、家族にとってもいいアイデアだと思った」という内容と答えたそうです。その話を聞いて、小学生の時に「障害者の軍事利用」を考えていた植松にびっくりしました。

白井 ちょっとそれは……あまりに異様ですね。先天的な一種の精神障害だったのかなとも思いますが。

雨宮 その可能性は何人かの精神科医も指摘しています。特に事件前から急激に病状が重くなったのではといわれています。ただ、植松の作文の内容の異常性に驚きつつも、はたと気づいた。日本だって、「生身の人間の軍事利用」をしていた。特攻隊がまさにそうですよね。戦闘機に爆弾をつけて、若者を乗せて、敵に突っ込ませる。植松の発想と同じようなことを、七十数年前に日本は実際にやっていた。

白井　確かに。それに日本には1948年から96年までは「優生保護法」があって、障害者に子どもを産ませない手術が合法的にされていた。優生保護法第一条には「この法律は、優生上の見地から不良な子孫の出生を防止するとともに、母性の生命健康を保護することを目的とする」（1948年）とあります。

雨宮　これも同列だと思います。「障害者は不幸を作ることしかできない」と植松は事件を起こしたわけですが、優生手術という形で、日本は国を挙げて強制不妊手術をやっていた。

白井　日本にはいわば土着的な優生思想があるのかもしれず、それが新自由主義化と結びついて強化されているということなのか。そうだとすればきわめて危険なわけですが、植松はそうした社会情勢を踏まえた確信犯だったのですよね。今の国家権力は、自分の犯行を価値あるものと認めてくれるはずだ、と思ったのかもしれない。

そしてその確信はあながち間違っていない……。ネオリベ（ネオリベラリズム、新自由主義）の現実を分析批判する際には、世界同時進行している新自由主義化の普遍的な面と日本特有の面を切り分けて考えなければならないと常々思っていますが、このケースは2つの面が相互強化したもののように思われます。

第3章

右翼とカルトと国体と

『戦争論』と右傾化第一世代

白井 ロスジェネの世代は、漫画家の小林よしのりさん（よしりん）の『戦争論』（『新・ゴーマニズム宣言SPECIAL 戦争論』幻冬舎、1998年）で育った世代ですよね。

雨宮 "よしりん"の歴史観で育った人が膨大にいるでしょう。

白井 それが何を意味するのか。いわゆる日本の右傾化の先頭を切った、ロスジェネは第一世代だったのではないかとも考えられるわけです。

雨宮 まさに右傾化第一世代だと思います。第1章で話したように、ロスジェネは学校では「頑張れば報われる」と言われてきました。だから厳しい受験戦争も耐えてきた。それなのに社会に出る段になった途端、「バブルが崩壊したので今までのことは嘘になりました」とハシゴを外された。私はここで強烈に、「学校や教育に嘘をつかれた」という被害者意識を持ちます。『戦争論』が出版されたのは1998年。「新しい歴史教科書をつくる会」（従来の歴史教科書は自虐史観の影響を受けているとして97年に結成された）などが出てきた時期で、当時の私はフリーター。「学校では教えてくれない靖国史観」みたいなものが入り込む隙間（すきま）がロスジェネでフリーターだった私にはありすぎました。すでに97年に右翼団体に入っていたので、『戦争論』が出版された時は、自分が右翼に入ったのは「正しい」のだと熱狂しました。白井さんは『戦争論』をどう読みましたか。

白井 あんまり読まなかった。というか、今に至るまでちゃんと通読したことがない。

雨宮 鼻で笑ったんじゃないですか。

白井 まあ、そんなところかも。僕が小林よしのりさんと相容れないのは、「パブリックが大事」なのはわかるけれど、「パブリック＝国家」の考えがあまりにも短絡的だと感じるからです。国家はパブリックの大事な部分ではあるだろうけれど、全部ではないわけで。

雨宮 『戦争論』に、そういう感想を持つのがすごい。同じ本をフリーターだった私が読んだ結果、特攻隊に傾倒しましたから。ものすごくかっこよく描かれていたんです。

白井 特攻隊が？

雨宮 はい。当時の私はどこにも必要とされない使い捨て労働力でしかなくて、誰でもできる時給千円程度のバイトもしょっちゅうクビになっていました。そんな私にとって、国家に命懸けで必要とされる特攻隊は眩（まぶ）しく見えた。周りの同じような境遇の友人たちも、やはり『戦争論』にハマり、特攻隊に涙していました。それほどに、1990年代のロスジェネフリーターはまともな必要のされ方をしていなかった。ある意味で、そういう同世代が特攻隊に熱狂する姿を見たことも、のちに右翼をやめる1つの要因になります。

白井 あらためて思い出すと、僕らが中学生や高校生のころに、小林よしのりが流行（はや）り始めました。

雨宮　小学生の頃に『おぼっちゃまくん』（１９８６〜94年に小学館『月刊コロコロコミック』連載）が流行しました。『戦争論』は98年。

白井　『おぼっちゃまくん』はバカバカしくて良かったですよねえ！　98年には僕は大学生になっていました。その前、自分が高校生の頃に『ゴーマニズム宣言』（扶桑社、１９９３年）がありましたが、あの本もわりと真面目な子が読んでいた印象があります。

雨宮　『ゴー宣』で社会を学んだ人は多いですよ。高卒の私にとって、社会の入門書みたいなものでした。

白井　たしかに社会問題への入り口として、やはり漫画という形式の取っ付きやすさはすごいわけで、あのような本は当時なかったと記憶します。

雨宮　『ゴー宣』も途中までは良かったんです。オウム事件を深掘りしたり。

白井　「薬害エイズ事件」（１９８０年代、血液凝固因子製剤〔非加熱製剤〕を治療時に投与された「血友病患者」がＨＩＶ感染者やエイズ患者となった事件）もそうでした。

雨宮　『脱正義論』（『新・ゴーマニズム宣言スペシャル脱正義論』幻冬舎、１９９６年）あたりから左翼批判が始まりましたよね。私は『脱正義論』を読んで「左翼は悪い人たちなのだ」と刷り込まれた。それが自分のその後の右傾化の下地になったと思います。そうして小林よしのり氏も、その後本格的に右傾化していく。

90年代の政治

白井　今から考えると、薬害エイズ問題はある種の分水嶺（ぶんすいれい）だった気がします。あの当時、小林よしのりと櫻井よしこと共産党が共闘していたわけですから。

雨宮　薬害エイズ事件の中心にいた川田龍平（かわだりゅうへい）さんもロスジェネです。櫻井よしこ氏は、あの問題をすごく追及していましたよね。

白井　彼女も、あの頃はまともだった。

雨宮　私もそのイメージがあったから、今の言動にはびっくりです。

白井　櫻井さんは、何がどうしておかしくなっていったのかな。ところで『戦争論』の時は、雨宮さんは北海道にいたんですか。

雨宮　いえ、98年はすでに上京してフリーターをしていました。20代前半です。すでに右翼団体にも入っていました。上京したのは93年です。

白井　とすると、雨宮さんが上京した時期は、ちょうど細川政権（1993年8月～94年4月）ができた頃ですね。55年体制（1955年11月、保守合同で自由民主党立党。社会党も同年10月に左・右両派が合同し、両党中心の政治体制を言った）が崩れたので、政治の上側だけを見れば一応、政治に希望が抱けるように見える時代でした。

でも雨宮さんたちは、そんな政治の動きとは関係ないところにいたわけです。「既成政党なんて知るか、右翼のほうが本物だ」というか。

雨宮　今から振りかえると、すごく政治が激動していたらしいですよね。でも、当時の私は総理大臣が誰かも知らなかったし興味もなく、日本にどんな政党があるかも知らなかった。

白井　これはちょっと重要なことだと思うんですけど、55年体制が崩壊するぞってことで政治報道が盛り上がっていたあの時代から、投票率（第5章参照）の不可逆的な落下が始まっています。政権交代を生じさせた２００９年の衆議院選挙でいったん上がるんですが、それでも同じ年の総選挙だって70％に達していない。そのあとまた落ちて、上昇のきっかけがなく現在にいたっています。

雨宮　そうなんですね。

白井　55年体制の終わりだ、政治改革だとマスコミ報道が熱をあげていたのとは裏腹に、実は有権者は55年体制崩壊以降の政治状況に付いていっていないというか、関心を失ってきている。とりわけ当時若者だったロスジェネ世代を含め、90年代前半の政治の動きに対して、その本質がなんだったのか、あまり理解できなかったはずです。というかいまだに理解されてないのでしょうけれど。

ネットがない時代の右翼と「ビジネス右翼」

白井　雨宮さんは、どのくらい右翼活動をしていたんですか。

雨宮　１９９７年から99年までの２年間です。私のいた団体には当時、『戦争論』を読んで入会する若者が多くいました。見事にみんな中卒や高卒のフリーター。おそらくその層は、日本社会がどんどん地盤沈下していくことを体感としてわかっていて、「何かしなきゃ」と思っていたのかもしれません。みんな真面目で、右翼と聞いて想像するヤンキー系は皆無でした。
　団体も真面目で、日本国憲法をテーマに、左翼と右翼に別れてディベートをする勉強会をしたりしていました。当時話題だった「金融ビッグバン」（１９９６年の第２次橋本内閣が提唱した日本の金融・証券市場制度大改革）や「ダイオキシン」（ポリ塩化ジベンゾジオキシン、ポリ塩化ジベンゾフラン、コプラナーポリ塩化ビフェニルの３種類物質群）の勉強会もしました。

白井　すごく真面目ですね。今だったら右翼を名乗る集団は、櫻井よしこさんの本とか読ませるんじゃないでしょうか。

雨宮　それでも読んでいるだけマシです。今のネトウヨはユーチューブとツイッターでしょう。それで「ウトロ地区を放火しよう」となってしまう。

白井　いきなり放火までいくケースは、明らかに友達もいない。

雨宮　その意味では、ネットのない時代の右翼はマトモでした。

白井　雨宮さんがいたのは、どういう右翼ですか。

雨宮　「超国家主義『民族の意志』同盟」という団体です。いわゆる新右翼で、反米右翼。敵はアメリカであって、アジアではない。

白井　「一水会」（1972年設立の新右翼系民族主義団体。「対米自立」などを掲げ「月一回、第一水曜日に開かれる勉強会」が団体名の由来）をもっと過激にしたような感じでしょうか。新右翼だから、反米思想だったわけですか。

雨宮　そうです。それと当時の右翼活動は、お金が出ていくばかりだった。真面目な団体だったから、みんなの会費で事務所を維持していて街宣車も持たない。右翼と言えばどこかからお金もらってるというイメージがあるかもしれませんが、それは一切なかった。だから私もみんなもバイトをしながら会費を払っていました。

それで良かったと思います。今、保守業界にいたら、ちょっと食えちゃいそうじゃないですか。2000年代からはネットの番組が出てきたりして、女性だったらとくに食えてしまうかもしれない。

私はそういう時代になる前に右翼をやめて、本当に良かったです。あのまま活動を続けていたら、私も女という理由だけで何かの役割が与えられ、生活のためズルズルやめられずにいたかもしれません。

白井　「愛国女子」と呼ばれたりしてけっこう売れてしまう。怖いですね。昨今の右翼はまさしく「ビジネス右翼」になって食えるようになってしまった。

雨宮　ビジネス化したことが、今の右翼の一番の悲劇かもしれません。

白井　そこから離脱できたのは作家の古谷経衡(ふるやつねひら)さんくらいでしょうね。

承認欲求を満たす若者たち

白井　右翼といっても、他にも団体がいろいろあるじゃないですか。どうしてそこを選んだんですか。

雨宮　作家の見沢知廉(みさわちれん)さんの紹介で入ったんです。見沢さんは私より16歳年上で、90年代後半、『BURST』（コアマガジン）などのサブカル雑誌で多く連載を持つ売れっ子で、同時に小説が三島賞候補になったりと、ある種のスター作家でした。そんな見沢さんはもともと左翼にいたんですが一水会に入り、1982年、スパイ粛清事件を起こして12年を獄中で過ごします。刑務所で書いた小説が新日本文学賞佳作を受賞して、出所後に作家として活躍した人です。2005年にマンションから飛び降りて亡くなりました。

サブカル女だった私は見沢さんのファンでイベントに行ったりしていたら親しくなったんです。当時の私はフリーター生活の先の見えなさや対人恐怖などいろんなことが生きづらくて、自殺願望があってリストカットをしたりしていたのですが、そんな話をしたら、「お前のような人間は革命家になるしかない」と言われて、左右英才教育を受けるようになります（笑）。
最初は左翼の集会に連れていかれましたが、第1章で触れたように、むちゃくちゃ話がむずかしい。なにを言っているのか、ひとこともわからない。疎外感を覚えました。

白井 それ、どこの左翼ですか。

雨宮 どこだったかな、アジト生活をしている人たちのグループです。

白井 かなりハードコアな左翼ですね。

雨宮 それで次に右翼に行ったら、「今の若者が生きづらいのは、アメリカと戦後民主主義のせいだ！　お前らは全然悪くない！」と演説していた。

白井 ほう～。

雨宮 生まれて初めてですよ、「お前は悪くない」と言ってくれた大人は。それで入った。
それからは、ある意味で充実していました。使い捨てのフリーターでしかない自分に、「日本を良くする」という使命と目的ができただけでなく、仲間もできた。
みんなで靖国神社に参拝して、「英霊の言の葉」という、特攻隊の遺書がたくさん収録されている本を読んで泣く。当時の私は20代前半なので特攻隊は同世代か年下です。そういうものを読むと、貧乏なフリーターの自分がまだ恵まれているように思えた。

白井 自己肯定感が得られ、居場所を見つけられた。

雨宮　はい。それだけでなく、「お国のために散った」特攻隊員を思うと、「自分たちのために死んでいった若者がいるのに、自分たちは何をやっているんだ！」と鼓舞され、喝を入れられる。これは右翼だけじゃなく、昨今、いろんな会社が特攻基地のあった鹿児島の知覧で研修会を開いたりしてますよね。それで特攻隊に「喝」を入れてもらうみたいな。

今思えば、特攻隊と比較しないと恵まれてると思えない当時の自分はどれだけかわいそうなんだと思うし、社員研修に特攻隊を利用する行為にはおぞましさを感じます。でも、当時は特攻隊に癒され、励まされていました。

しかも右翼団体に入ると靖国神社の駐車場がタダだったりして、そういう特別扱いも自尊心を満たしてくれる。最底辺フリーターなのに、靖国ではフリーパスみたいな。

白井　あそこの駐車場は、普通に止めたらめちゃくちゃ高いですよ。

雨宮　そうそう。

白井　右翼フリーパス（笑）。

雨宮　しかも右翼の入隊式は、靖国神社でやりますから。普段は入ることのできない奥まで入ることが許される。そんなこと、貧乏フリーターは体験できないですよ。だから、どんどんハマっていくし、仲間はいるし、必要とされる。そう、必要とされるというのが一番でした。

白井　自己承認欲求が満たされるわけでしょうね。一水会の初代代表である故・鈴木邦男さんがおっしゃってましたが、それは古くからのテキ屋、ヤクザも同じかもしれません。

60年安保の時代、児玉誉士夫(こだまよしお)（右翼活動家、暴力組織に深く関与し「フィクサー」の異名をとる）が全国のヤクザやテキ屋を安保反対派に対抗する抜刀隊(ばっとうたい)として組織した。それが戦後右翼の始まりで、右翼衰退の始まりでもあった。活動のコマにされた下っぱのメンバーは、自分たちが国家によって後押しされている感覚に陥る。「俺は、お国のために役に立っている」と思い込んでおかしくなっていったんだ、と感じてしまう。

雨宮　すごくわかります。

白井　そう考えるとやっぱり右翼は強いですね。活動すると生き甲斐(がい)が与えられる。雨宮さんも与えられた。でも、それなのに右翼をやめてしまった。

雨宮　それは自分が思想に依存してると思ったからです。あと、先ほど話したように『戦争論』にハマる同世代を見ていて違和感を持つようにもなった。何か自分たちのフリーターとかの境遇のおかしさが、これほど『戦争論』を必要とさせているのではないかと思ったんです。ある意味で「ニッポンすごい」のはしりみたいなものですよね。バブルが崩壊して不況が始まった中、そのしわ寄せを一番受けたロスジェネが、まず『戦争論』という形で「ニッポンすごい」を消費したとも言える。

それと右翼は憲法改正ですが、私は憲法を読んだこともないのに言われるがまま憲法改正と言っていたんです。だけど右翼団体の勉強会のディベートで日本国憲法を取り上げることになって読んだら、うっかり前文に感動してしまったということもありました。なんか右翼にいると毎日「大東亜戦争」のことばかり考えてるから戦争には詳しくなるんです。で、そういう頭で前文を読んだら、戦争があったゆえの悲願という感じがして。それで、「あれ、なんで右翼は憲法こそが堕落のもとって言ってるんだろう」と疑問を持ったこともありました。それで99年に脱会しました。左翼だったらやめるとなると殺されそうですが（笑）、問題なくやめられました。

白井　「毎日『大東亜戦争』のことばかり考えてる！」まあ僕も結構そうかもしれないが……。そのあとに貧困問題に取り組み始めた。

雨宮　それからだいぶ経ってからですね。私が右翼をやめるまでの半年間が『新しい神様』（土屋豊監督、1999年）というドキュメンタリー映画になって、それがきっかけで2000年に本を出してデビューし、それでやっと脱フリーターしたんです。

それから6年間は自殺や生きづらさなんかの問題を取材して書いてたんですが、03年には若者たちによるネット心中（一緒に自殺する相手をネットで募集し、集団自殺する）が流行したり、自分の周りでも自殺者が出たり、そこまでいかなくても心を病む人が続出したりで、そのような人たちの取材をしていました。

自殺の問題については、ずっと「個人の心の問題」だと思っていました。ですが、取材を続けるうちに、これはもう構造的な問題があるのではと思うようになっていきました。そうして2006年、たまたま行った「フリーター労組」という組合のメーデーで「プレカリアート」

という言葉を知り、そこで語られていたことによっていろいろと霧が晴れるような思いがしました。プレカリアートとは、不安定なプロレタリアートという造語で、フリーターやニート、ひきこもりなども含む概念です。

そのメーデー集会で語られていたことは、新自由主義と自殺の関連や、いきすぎた市場原理主義やグローバル化のもとで世界的に雇用の不安定化が進み、それが特に若年層に集中していること、そういった雇用破壊が生む生きづらさ、当時まだ発見されていなかった「ネットカフェ難民」などについてでした。当時は小泉政権後期で、自己責任という言葉が盛んに言われるようになった頃です。

そういう話を聞いて、自分がフリーターの時、リストカットばかりしていた理由とか、なんで自分の世代くらいからこんなに「普通に働いて普通に生きることが難しくなったのか」という疑問への明確な答えが与えられた気がしました。自分の周りで自殺した人たちが、構造的に自殺に追い込まれていったのではないかと怒りも感じました。

就活の失敗で心を病んだ人もいれば、フリーターで自殺した友人もいました。じゃあ正社員になれた人が安泰かと言えば、恐ろしいほどの長時間労働で心身ともに病む人も多かった。そういった問題の背景がその日、鮮やかにわかったという感じでした。

白井　一気に構造が見えてきた感じですね。

雨宮　それですぐにフリーター労組に入り、プレカリアート運動に参加するようになり、それが反貧困運動につながっていき、今に至ります。そうしたら「雨宮は右翼から左翼になった」と言われるようになりました。

私としては何かにカテゴライズされることに抵抗があったのですが、やたらと言われるので、私が右翼にいた頃から仲の良かった元赤軍派議長の塩見孝也さんに「最近、左翼って言われる」と言ったら激怒されました。「マルクスも読んでないのに左翼とは何事だ！」って。

白井 （大笑）。

雨宮 それでメンドくさ、と思い、二度と左翼と自称しなくなりました。だって左翼と名乗るにはマルクスを読破しないといけないいなんて敷居が高すぎませんか？　その点、右翼は「日本が好き」だけで超ウェルカムです。

白井 塩見さんともお知り合いだったとは。

雨宮 フリーター時代、98年頃に出会いました。「赤軍派」が若者と語るイベントがロフトプラスワンであって、見に行ったら初対面の塩見さんに、いきなり「平壌に行こう」と誘われた。

白井 いきなり北朝鮮（笑）。

雨宮 それで初めての海外旅行で北朝鮮に行きました（笑）。平壌には1970年にハイジャックして北朝鮮にわたった赤軍派の「よど号グループ」がいて、彼らの子どもたちと私は同世代だったんです。それで現地のよど号の子どもたちと仲良くなり、一緒に金日成の生まれた家とか人民大学習堂とか革命博物館とかに行って、滞在中は思想教育みたいな感じでした。

白井　すごい初海外だ。

雨宮　北朝鮮には結局、５回行きました。最後に行ったのが、金日成（キム・イルソン）生誕90周年の２００２年のアリラン祭で、その年の９月に小泉が訪朝した日朝首脳会談があり、その直後にいきなりガサ入れを受けたんです。

白井　北朝鮮が絡むと公安から本格的に目を付けられ、生活がまったく変わってしまう。

雨宮　容疑はよど号グループによる有本恵子さん（日本政府認定の北朝鮮による拉致被害者。「よど号」ハイジャック犯グループが拉致に関与したとされる）結婚目的誘拐。その誘拐があったとされる時期、私は８歳なんですが、よど号と関わるとこうなるぞという見せしめですね。２００１年の北朝鮮行きでは、よど号の子どもたちが日本に「帰国」するということで迎えに行き、一時期私のうちに住んでいたことも関係あるでしょう。

北朝鮮では外国人であるよど号の子どもたちは就職も結婚もできないので帰国したがっていたんです。それがやっと叶（かな）ったので迎えに行ったりと関係を深めていたらガサ入れがあった。塩見さんのおかげで、いろんなことに巻き込まれました（笑）。

世界同時革命を目指した男！

雨宮　塩見さんは獄中20年の刑期を終えて、当時60歳くらいでしたが、90年代後半でもまだ「世界同時革命」と言っていました。

白井 塩見さんを招いたりして、北朝鮮当局は何を狙（ねら）っていたのかな。

雨宮 塩見さんは元赤軍派議長だからわかりますが、当時は見沢知廉さんも北朝鮮に招かれたりしていて、よど号グループは右翼とのつながりも模索していましたね。どういう背景があったのかは謎ですが。

白井 雨宮さんが貧困問題に取り組んだのは、北朝鮮に行ったりしていた後になるわけですね。

雨宮 はい。先ほどのメーデーに行った2006年からです。そうしたら塩見さんが、「雨宮は俺が育てた。すべて俺の影響」みたいなことを言い出しました（笑）。

白井 （爆笑）。

雨宮 塩見さんは2017年に亡くなるんですが、晩年はシルバー人材センターに登録して、働き始めたんです。駐車場の管理人として、初めて労働者になった。現場では同僚に「議長」と呼ばれて人気者だったそうです。

白井 そうらしいですね。塩見さんの生前のインタビューで、「初めて労働者になってみて労働者の気持ちがわかった」といったことを述べていて驚愕（きょうがく）した覚えがあります。

雨宮 そう。で、シルバー人材センターには、労災が適用されなかったりといろいろと問題がありました。そうしたらある日、塩見さんが、私の入っているフリーター労組に相談に来たんです。「シルバー人材センターユニオンを作りたい」ということだったので、ぜひやったほうがいいとみんなで盛り上がっていたら、塩見さんは「このシルバー人材センターユニオンを足がかりに、ゆくゆくは世界同時革命を目指したい」と言い出した（笑）。

白井　出ました！　世界同時革命。

雨宮　２０１０年台のことです。21世紀になっても本気で世界同時革命を目指すんだと、ある意味感動しました。「この人は本物だ」と。もう天然記念物です。

白井　それは感動しますよ（笑）。

雨宮　やはり晩年ですが、ロフトプラスワンのイベントに塩見さんをゲストで呼ぶと大人気でした。客席のロスジェネの人たちが塩見さんにいろいろ人生相談するんです。「仕事をクビになりました」「ずっとひきこもりでこれからどうすればいいかわからない」「この先どう生きていいかわからない」「彼女がいない」などなど、思いのたけを塩見さんにぶつけるんです。

普通の大人だったら、「もっと努力すべき」とか「自分の責任もあるのでは」とか言うと思います。でも、塩見さんの答えは「それは全部資本主義が悪い！」、そして「世界同時革命をするしかない！」。相談した人は、元赤軍派議長に、「お前は悪くなくて全部資本主義が悪いのだ」という究極のお墨付きをもらえるんです。みんな伝統芸を見るような気持ちで笑いながら、それでも塩見さんが大好きでした。

白井　その話を最初に聞いた時、塩見さんはいろいろな人の人生を狂わせたけれど、最後に功徳を積んだのだなあと感動しました。先ほどの右翼体験の話もそうですが、ポイントは「お前のせいじゃない」という断言ですね。自己責任のイデオロギーが一般化するようになって以降、自責ばかりで他責できなくなった。これはもう第二、第三の塩見孝也が必要です。

雨宮　そう思います。塩見さんみたいな「革命おじさん」が周りにいたら、だいぶ楽になる。塩見さんはそうやって意図せず、たくさんの悩めるロスジェネを救っていた。

白井　「それは君のせいではなく、世の中のせいだ」と常識的に諭す大人はけっこういるかもしれない。でもそれは、とりあえずの慰めなんです。「とりあえずこう言っておけば、この人は少しくらいラクになる」としか考えていない。軽い気持ちで慰めるだけ。塩見さんは違う。本気で「資本主義が悪い。革命しかない」と言う。

雨宮　そう、本気、本気。しかも「一緒に革命を目指そう」と口説きだす。

白井　これは心理学的問いなのかもしれないけれど、人心掌握術は二通りなのかもしれません。「全部お前のせいだ」か「全部お前のせいじゃない」のどちらか。「一部はあんたのせいだけど、一部は世の中のせいだよね」という言い方は、人の心を動かさない。

　今起きていて厄介なことは、自責ばかりで他責せず沈み込んでしまうか、他責すると暇空氏たちみたいに変なエネルギーになってしまうことですね。

雨宮　本来は政治や大資本、新自由主義に抗（あらが）うべきエネルギーを、どうしてネット上で女性に向けるんでしょうね。塩見さんだったらなんて言うだろう。

白井　政治や資本主義のせいではなく、「俺が不幸なのはフェミニストのせいだ」になっちゃう。

今あらためて「国体」を問い直す

雨宮　白井さんは「国体（こくたい）」について、いろいろと書かれています。右翼団体にいた時、「国体」という言葉をよく耳にしましたが、そもそも国体ってなんですか？

白井　元「右翼女子」だけに、「国体」への関心があると思っていました。

雨宮　全然わかってなかったし、今もよくわからないです。

白井　「国体」の観念自体は割に新しくて、幕末期の発明物なんです。つまり近代的なものなんです。奈良時代や飛鳥時代からあるものではありません。

「国体」の概念のはじまりは、幕末期の水戸学者の会沢正志斎（あいざわせいしさい）が『新論』で書いたもので、これが維新の志士たちのバイブルになった。いわく、「日本の本質は天皇にあって、それが日本国の根本である」とする考え方です。

雨宮　日本の中心に天皇がいる。

白井　そうです。それだけでは漠然たる観念にすぎないわけですが、そもそも会沢の書は、日本の近海にしばしば欧米の外国船が現われ、乗組員が不法に上陸したりしているという状況への危機感から書かれました。阿片戦争（1840～42年に起きたアヘンの利権をめぐる清（しん）〔中国〕とイギリスの戦争）で清が敗北して大変なことになっているという情報も、当時の知識人にはちゃんと入っていました。

他方で、幕藩体制の封建制は資本主義経済化が進むなかで矛盾をきたしているから、統治機構は弱体化している。武士は貧乏で弱兵になっている。だから会沢としては、一度日本の政治システムの本義に立ち返って政治改革をしなければ、外国からの脅威に耐えられないぞ、という警告を発したわけですね。

で、その本義とは「天皇中心」である、という考えです。ただし、この考えは幕藩体制を否定するものではなかったんです。なぜなら徳川将軍も「征夷大将軍」という朝廷の官位によって天皇から統治を委任されているわけだから、形式的には「天皇中心」なんです。

会沢の書は名高くなって、維新の志士たちのバイブルになってゆく。吉田松陰が脱藩して向かったのも水戸ですからね。会沢に会いに行ったのです。その過程で、会沢による国体観念は「尊王攘夷」の根拠となって、さらにはそれを実行するためには倒幕して天皇親政の政府を建てなければならない、という具合に解釈されてゆきます。

こうして明治維新が起きました。そこから日本の国是、いわゆる天皇制のシステムが築き上げられていく。

「国体＝天皇制」とする人が多いけれど、明治維新の時点での天皇制は古い衣装をまとった新しく、モダンな観念でした。日本が急速に近代化を進めていくために必要だったのが「国体」で、明治維新の指導者たちが作り上げたシステムです。それが紆余曲折を経て、超国家主義にまでなり、破滅を迎えて敗戦になるわけです。こうして「国体」は終わったこととなった。

雨宮　そうなんですね。

白井　ところで、戦後の論壇や学問の世界において、戦前日本と戦後日本の連続説と断絶説はたえず争ってきました。ようするに1945年で、日本は生まれ変わったのかどうか。

ある時期までは、右の論壇と左の論壇、どちらでも断絶説が強かったんです。左の側は「民主国家として生まれ変わったんだから、ますます民主主義を進めるべし」と掲げる。右の側は「戦前の良き美風が失われた。けしからん」とモノ申す。つまりこれが「断絶説」です。

雨宮　では「連続説」はどういうことですか。

白井　「連続説」は、要するに「意外に変わってませんね」と見る説ですが、学術界の常として、定説に対して異を唱えないとインパクトがありませんから、だんだんと「いや、連続している面にもっと注目しましょうよ」という説が強くなってきた。

代表的には、「1930年体制論」です。これは、「戦後日本の高度経済成長を支えたシステムの起源は、日本の1930年代に形成された総力戦体制にある」という考え方です。戦時中の国家総動員のなかで国家による産業の指導・統制システムや企業別労働組合などが生まれ、それが戦後の経済発展のエンジンとしてうまく機能した。

連続か、断絶か、この二項対立は僕に言わせるとつまらない。戦後になって変わった部分もあるし、変わらなかった部分もある。結局、どっちの側面もありますから、当たり前ですよね。

だから、「連続か断絶か」という問いを立てると、「どっちもありますね」という凡庸なる結論しか出ようがない。

そこで重要になってくるのが「国体」の観念です。戦前戦中の日本では、「国体」は最も大事なものだったはずなんです。治安維持法は「国体を変革しようとする者は死刑もアリ」と定めていたのだし、ポツダム宣言を受け入れる土壇場においても、「国体護持ができるのか」が問題になって揉めに揉めたわけです。

ところが戦後、「国体」の観念は蒸発したみたいにどこかへ消えてしまいました。言葉自体すっかり死語になっている。そんなものはなかったことにする、というわけにはいかないほど重要だったはずで、では、本当はどうなったのかと考えてゆくと、見えてくるものがある。つまり、「国体」は消え去ったかに見えて、実は再編されたのだ、というわけです。再編の核心は、「国体」の頂点を占める者が天皇からアメリカにすり替わった。言い換えれば、アメリカが戦後は実質的に天皇になったということです。

雨宮　そう言われれば、まさにそうですね。

白井　この構造は、対米従属の深化というかたちで近年ますます露骨になっているわけです。例えば、岸田政権が防衛費を大幅に増やす問題も、2023年1月に岸田首相がバイデンと会うために急いで決めたことです。それはアメリカに強いられたとする説がある一方、アメリカはそこまで露骨に圧力をかけていない、との説もある。むしろ日本の政治家や官僚が、アメリカに気を使いすぎた。日本の自発的従属でしかないとの考え方もできます。
しかし、そんなことはどっちでもよいのです。こうしたメカニズムこそが「天皇制」であり「国体」であることが重要なんです。

先の戦争だって、昭和天皇が本当はどう考えていたのか、よくわからない。「大日本帝国は、君主専制の国家ではなく、立憲君主制の国だから、君主が表へ出て我を通すべきではない」と昭和天皇は振る舞っていた面が確かにあった。

でも、昭和天皇の本心はわからない。わからない故に、当時の軍部や政治家が都合よく、自分たちの考えを当てはめていった。本当は自分たちの利害にすぎないものを「天皇の意志」として演出する、その術に長けた者が政治的に勝利する、という構造があった。

ついでに言うと、戦後の左派は「昭和天皇の戦争責任」について延々と論じてきたでしょう。この問いの立て方自体が倒錯しているのです。そもそも昭和天皇の戦争責任を問うことのできる政治的権能を占領下に置かれた日本国民が持っていたか？　持っていなかったのですよ。

要するに、アメリカが「責任はないということにする」と決めたから、責任はないことになったんです。逆にアメリカが「責任があることにする」と判断していれば、天皇の戦争関与は「立証」されて有罪宣言を受け、天皇制の廃止なり、退位なりが命じられていたでしょう。

つまり、戦後の左派は「われわれは昭和天皇の戦争責任を問うことのできない立場にいたにすぎない」ことに無自覚、言い換えれば、自分たちの歴史の落とし前を自分たちでつけることができないほど対米従属していることに無自覚だったのです。

雨宮 そうか……。

白井 今回の防衛費問題も天皇制国家と構図は同じです。アメリカの本音がどこにあるのか、本当はよくわからない。アメリカにもさまざまな勢力があり、利害もさまざまです。「アメリカがこう望んでいるから、こうすべき」と日本の政治家と官僚が演出して誘導してゆくわけです。この問題は次章で、米中問題とからめてお話ししましょう。

「まじめ」な右翼

白井 さきほど「国体にほとんど関心がなかった」と言われました。雨宮さんが「右翼女子」として頑張っていた時代は、右翼の側は「国体」をどう扱っていたのですか。

雨宮 どうでしょう……。枕詞（まくらことば）のように街宣で「祖国の繁栄と国体の復興」とか言ってた気がするけど、挨拶（あいさつ）みたいなもので意味は何もわかってませんでした。

白井 はっきりしているのは、国体護持うんぬんの以前に「何か自分も役に立ちたい。意味のあることをしたい」という気持ちがあったことです。

雨宮 それは特攻隊の話ともつながりますね。

雨宮 当時は、援助交際が社会問題になっていました。私の所属する団体では、そういう「資本主義的堕落」について問題にしていました。一水会でも、日本人男性がアジアで買春することを街宣で批判する人がいました。あとは「利己主義、個人主義はいけない」とかで、「国体」について議論した記憶はないんです。

白井　雨宮さんのいた団体は、ずいぶん生真面目な右翼だったんですね。

雨宮　トップの人がすごく演説上手でした。「この資本主義社会のなかで、我々は消費だけする生き方でいいのか」「お前が生まれてきた意味はどこにあるのか。末梢神経をくすぐられるような消費と娯楽だけで人生が終わっていいのか」とか、自己啓発セミナーに近いといえば近い。

だからこそ、生きがいも自己肯定感もない若者がどんどん吸い込まれた。「よるべなき若者よ、フリーターよ、来たれ！」的な求心力がすごかった。

白井　聞けば聞くほど、立派な右翼じゃないですか。なんで辞めちゃったんですか（笑）。

雨宮　少なくとも、とがっていましたね。1995年の地下鉄サリン事件で、オウムから大量に信者が脱退しましたが、脱会した信者のうち2人が私のいた団体に入っています。彼らはオウムから「こっちの世界」に戻ってきて、みんなが死んだ魚のような目をしていることにショックを受けたそうです。

それが、私のいた団体に出会って「こっちの世界」で初めてマトモな人に出会ったということでした。そうしてすぐに団体に入り、街宣で通行人に「お前たちは死んだ魚の目をしている！

お前たちは本当に生きているのか！」とかアジっていました。
　ずいぶん洗脳されやすい人ですが、「こっちの世界」で賃労働だけしてあとは趣味に時間を使って、という生き方に飽き足らないという人は絶対にいる。そういう人たちの受け皿になっていました。

白井　「お前たちは死んだように生きてる！」って、なんか3・11以降、刺さりますね……。

旧統一教会を庇護する自称「愛国者」

白井　オウム真理教の話題が出てきたので、旧統一教会（以下「統一教会」）問題についても触れましょう。貧困とカルトの関係、宗教二世・三世の問題をどう解決していくのか。

雨宮　宗教二世の問題は以前からわりと近い場所にあったので、のちほどお話ししたいと思います。

白井　まずは統一教会について、少し解説しておきます。
　統一教会は、韓国の朴正煕（パク・チョンヒ）政権（1961～79年）の強烈な反共主義と共鳴して、政権の庇護（ひご）を受けながら勢力を伸ばしました。統一教会の日本進出が本格的になったのは、1968年の国際勝共連合（文鮮明（ムン・ソンミョン）提唱の日本と韓国の「共産主義に勝利するための国際連盟」）の形成からです。
　勝共連合は、統一教会教祖の文鮮明（宗教家、世界基督教統一神霊協会［統一教会］、現・世界平和

統一家庭連合の創立者)、日本側からは岸信介(きしのぶすけ)(１９５７〜60年の第56・57代内閣総理大臣)、笹川良一(ささかわりょういち)(政治家、社会奉仕活動家)、児玉誉士夫らが参集しました。この３人には、敗戦時のＡ級戦犯被疑者にして不起訴釈放された獄友という共通点があります。岸は、本流である吉田茂の流れをくまない保守傍流を代表する政治家でもあります。

雨宮　安倍晋三のおじいちゃん。

白井　岸の背後には「アメリカの影」が濃厚に感じられます。彼がなぜ東京裁判(極東国際軍事裁判、１９４６〜48年)で不起訴となり、無罪放免になったのか。いまだ謎です。岸がＣＩＡ(中央情報局/Central Intelligence Agency)と密接な関係を持っていたことは疑い得ないのですが、具体的な実態が記された文書はアメリカ公文書館では機密文書扱いです。

　ロッキード事件(米大手航空機メーカーのロッキード社をめぐる世界的汚職事件、１９７６年)の渦中で急死した児玉誉士夫も戦後、アメリカのＣＩＡと深いつながりを持ちました。「国家意識」「愛国」を盛んに説く右派勢力こそ、アメリカとの距離が近いわけです。あの戦争の時にはそのお先棒を熱心に担いでいた連中が、戦後はアメリカによって免罪してもらうことによって、対米従属体制の要石(かなめいし)になっていった。その同じ勢力が統一教会とも近かった。

　だから統一教会問題は「戦後日本の国体」ともつながります。アメリカからすれば、１９６0〜70年代に日本と韓国の指導者が連携を深め、反共姿勢を強化することは好ましいことでした。そうした思惑のなかにうまくはまり込んだのが統一教会であったように感じられます。

口先ではナショナリズムを鼓吹しながら、自分たちを赦してくれたアメリカに甘え、その威光を背にして権力をむさぼる。これが岸に代表される日本の親米保守最右派の本質ですが、こんな似非ナショナリストですから、激烈な反日民族主義を含み持つ統一教会とも簡単に親密になれたわけです。

雨宮　ものすごく根深いですね……。そうして岸信介の孫である安倍晋三元首相が、令和の時代に統一教会の宗教二世である山上徹也に殺される。考えてみると、山上に限らず、宗教二世にロスジェネは多いですね。

白井　例えば創価学会も、家族内で信者を再生産しているケースが多いと聞きます。新規獲得できていない。

統一教会に関して言えば、この問題を長年追及するジャーナリストの有田芳生さんが「旧統一教会に解散命令が出たら、淡々と脱会する信者がきっと多い。本音では、なくなってほしいと思っている信者がけっこういる」と言っていました。

雨宮　それはそうだと思います。

白井　「ずっと続けちゃったし、他に行き場もないし」と惰性で所属しているだけで、「いっそのこと、国の解散命令で潰してくれると助かる」が本音だというのです。これもなかなかすごい話だと思いました。二世の信者は、生まれてこの方、教団の人間関係のなかでのみ生きてきてしまっているから、それ以外の人間関係があまりないのでしょう。だから強い信仰心がなくても続けざるを得なくて、抜ける決心もつかないということなのかな。

雨宮さんがいた新右翼の団体に、例えば統一教会が手を伸ばすことはなかったんですか。

雨宮　全然なかったですね。そもそも強烈な反自民党だから用がなかったんじゃないですか。

白井　そうか、統一教会は勝共連合の連中をはじめ、旧来勢力の利権とがっちり絡んでいますからね。妙に一生懸命なのを入れちゃうと、かえってややこしくなる。

雨宮　だと思います。

白井　勝共連合の話に戻すと、戦後の日本は「親米保守」が主流でした。先ほどから述べているように戦後の日本のナショナリズムは、「菊」に代わって「星条旗」を戴くものになり果てた。それを正当化する論理が、「反共産主義」ですよね。共産主義が世界最悪なのだから、対米従属は不本意でもやむを得ない、とする論理です。

いわゆる「愛国者」と統一教会との蜜月関係を見ると、統一教会の教義の核心は、日本に対する強烈な復讐心です。「韓国＝アダム国、日本＝イヴ国」と規定し、サタンの側に堕ちた日本は、植民地支配という非道を犯した。その罪を償うために、日本人は韓国に貢がなければならない。それが統一教会の教義で、日本での悪辣無比な集金活動を正当化する論理になっていく。

本来こんな教義を持つ団体と日本のナショナリストが手を組めるはずがない。それを庇護してきたのが、岸信介や児玉誉士夫をはじめとする勝共連合の面々、自称「愛国者」たちであったわけです。統一教会の一件は、彼らの「愛国心」のイカサマぶりをあらためて白日の下にさらしましたね。

「安倍晋三」という名のカルト

白井　雨宮さんのいた右翼にオウムの元信者がいたそうですが、行き場を失ったロスジェネの最後の救いは、カルト宗教にしかなかったのでしょうか。

雨宮　それはないと思います。元オウム信者はバブル世代で私より年上でした。それとオウム事件で世の中には強烈な宗教アレルギーが生まれたので。

ただ、もしあの事件がなければ、ロスジェネになんらかの宗教が流行っていた可能性はあるかもしれません。一方で、２０００年代からはスピリチュアル系に流れるロスジェネ女性が増えましたね。この十数年だとやたらと子宮を神格化する「子宮系スピリチュアル」とか、粉ミルクは絶対ＮＧで母乳が絶対の「おっぱい右翼」とか。安倍元首相の妻である安倍昭恵さんは神と宇宙と神社仏閣と大麻と日本の四季なんかが好きで、私はそれを「ゆるふわ系愛国」と呼んでいます。そういうスピリチュアル系の流れが参政党にもつながっていて、ロスジェネにもうっすら浸透している気がします。

白井　「おっぱい右翼」……何か違うものを想像してしまいそう。それはともかく、たしかに僕らの世代はオウムのおかげで、「カルト宗教には気を付けないといけない」と強く刻み込まれた世代です。それが今や国力が衰退して貧困が進むなかで、別のかたちの宗教が現われた。「日本すごい教」です。

雨宮 誰でも入れる（笑）。

白井 「安倍さんは最高の総理大臣。日本を強く美しくしてくれた」。もはや完全にカルトじゃないですか。

カルトの特徴は、信者の信じている内容の荒唐無稽（こうとうむけい）さです。１００人が聞いて99人が「それはない」と思うようなことを、カルト信者は「絶対にそうだ」と信じ込む。「違う」と対立する証拠を見せつけても、「嘘だ。でっち上げだ」となる。信者が荒唐無稽なストーリーを頭のなかに作り上げ、不都合な証拠をすべて退けてしまう。これがカルトの人の思考回路でしょう。

雨宮 「安倍晋三」という名のカルト。

白井 この30年間、ほぼ自民党だけが政権を担当してきて、これだけ日本が没落して、結果を見せつけられている。

ところが自民党にしか政権担当能力がないと信じている人はいっぱいいます。この精神構造は、僕は統一教会の信者と根本において、何も変わらないと思います。

雨宮 ロスジェネ世代にも「自民党しかない」と言う人が結構いますね。世の中がどんどん悪くなるのを肌で感じている世代なので、これ以上悪化してほしくないという思いが、変化ではなく安定を望む気持ちになるんでしょう。変革して良くなるという発想自体を奪われてしまう。

白井　はっきり言えば、どんだけ甘いんだろうと思います。このままだったら、より一層悪くなるしかないのに。自民党政権が続けば悪くなるペースの見当がつきそうだから、自民党がいいってことになるのかな。

雨宮　選挙の結果を見てもそうじゃないですか。

白井　それにしても、この10年ほどの間、「大きなもの、強いものと合一したい」というあられもない欲望を目にさせられてきました。それは、特に3・11東日本大震災以後の日本人の不安感情の表われなのでしょうけれど。これなしに安倍政権があんなに長期になることはなかったと思うんです。

抜け穴だらけの「被害者救済新法」

雨宮　山上の事件以降、宗教二世の問題が注目されていますが、私は20代から同世代の二世の存在は知っていました。ちょうどネットが出てきた2000年頃、自傷系サイトや自殺系サイトのオフ会が頻繁に開かれるようになったんです。私もそうしたオフ会に行っていたのですが、自殺願望を持った若者が集まる場に、かならずと言っていいほど宗教二世の姿がありました。

白井　なるほど。明らかに自殺願望を持ちやすいということですね。

雨宮　そうです。そして話を聞くと、彼らの生きづらさは想像を絶するものでした。今まさに多くの宗教二世の方が告発している内容とまったく同じです。そうしてここ7、8年は、宗教二世による漫画出版が続いていました。私も何冊か読んでいますが、エホバの証人などの二世が教団を告発する内容です。

そういうものを読むと、二世が受ける制約の多さに驚かされます。例えば誕生日が祝えない、クリスマスパーティーもダメ、政治に関わることもNGなので学級委員の選挙にも参加できない、争いもダメなので運動会の騎馬戦も参加できないなど、ただでさえ同調圧力の強い教室で悪目立ちしてしまうことばかり。その上、もちろん恋愛は禁止。思春期には耐え難くなると思います。

そういう子どもの存在は、教育現場では昔から知られていたわけです。少なくとも、先生たちは知っていた。けれど、「信教の自由」の前で立ち尽くしていたのではないでしょうか。何かしたいと思っても、何もできない。そして二世たちは、自分がどんなひどい目に遭おうと大人たちは「信教の自由」があるから何もしてくれないことを痛感する。このことに絶望していた二世は多くいます。

絶望という意味では、私も昨年7月に安倍元首相銃撃事件（2022年7月8日）が起きて以降、それに近い気持ちです。あの事件によって一気に自民党と統一教会の関係が明るみになりましたが、それからしばらくはものすごい徒労感の中にいました。

お話しした通り、私は２００６年から貧困問題に取り組んできて、その解決のため、院内集会を開いたり、国会議員に働きかけたり、政策提言をしたりということを17年間にわたって続けてきました。私たちの声になかなか耳を傾けてくれない自民党の議員も、ちゃんと説明すれば、貧困問題の解決が日本の喫緊の課題だとわかってくれると思っていました。

貧困問題だけではないです。ＬＧＢＴＱ、夫婦別姓、同性婚などの活動に取り組む人たちも、本当に理解してもらおうと心を尽くしていました。私もいろんなデータを揃えて、切なる願いを込めて取り組んできた。

だけど、そんなこと、なんの関係もなかった。なんの意味もなかったんです。カルトとズブズブの自民党に言葉を尽くしたところでどうにもならないのは当然だったんです。それに気づいたときの脱力感はすごかった。

白井　僕はこの件を通じて、自民党の根っこが露呈したんだと思います。ただ、統一教会が自民党の政策決定に大きく影響していたのだ、という見方は僕はとりません。それほどまでの影響力、政治力は統一教会にはなかったと思われるからです。

でもだからといって問題が軽くなるかといえば逆で、もっと深刻なのです。自民党内のとりわけ保守的といわれる勢力は、べつに統一教会から要求されたからというわけでもなく、夫婦別姓の問題を典型とするいわゆるリベラルな政策に対して強硬に反対し続けてきたのでしょう。

統一教会は、自身の政治力と権益を伸ばすために、融通無碍に理念を操作する傾向があるので、あれだけ反共主義を標榜していたはずなのに、突然北朝鮮と親密になりました。そもそもの反共主義だって、朴正煕政権の庇護を得るために主張し始めたと思われる節があります。

ですから、自民党保守派が統一教会の影響を受けたというより、この保守派の傾向に統一教会が合わせて、それで同志的な関係を築いたというほうが実態に近いのではないかと思うのです。つまり自民党がカルトとズブズブだったというより、むしろ自民党そのものがカルト的だったということだと思うのです。

そして、この問題はどうしても日本国憲法第20条に関係します。

一　信教の自由は、何人に対してもこれを保障する。いかなる宗教団体も、国から特権を受け、又は政治上の権力を行使してはならない。

二　何人も、宗教上の行為、祝典、儀式又は行事に参加することを強制されない。

三　国及びその機関は、宗教教育その他いかなる宗教的活動もしてはならない。

いくら奇妙奇天烈な信仰であっても、他者に対して明白な危害を与えない限りは、許容しなければならない。それが自由主義的な市民社会のルールです。

では、オウム真理教や統一教会のようなカルトを、どういう論理で取り締まるべきか。「反社会的な行動をする組織」として禁じるほかありません。憲法が保障する「信教の自由」、教義や信念は別にして、行為の外形性で脱法性を判断するしかない。統一教会は、行為の外形性から十分に悪質であることが証明されています。宗教法人格を取り消す理由は十分に揃っています。詐欺罪で教祖が逮捕された法の華（「法の華三法行」、現在は「第3救済 慈喜徳会」として活動）など、現に潰された団体も過去にありますしね。

問題は、先の国会が審議不十分のまま、統一教会の狙い撃ちを意図した法律を制定したことです。統一教会は現状において、宗教法人として国に認可されています。それを禁圧する法律を制定するのは、筋論としてまず問題があります。

その意味で、先般成立した「旧統一教会問題を巡る被害者救済新法」は問題がありすぎました。「統一教会への解散命令が先だ」と野党はもっと踏ん張るべきでした。そういう筋論が、今の野党議員にはないのでしょう。

国会で「手ぬるい法律だ！」と騒いで、自民党と公明党が「ちょっと厳しくします」とやや譲歩しただけの話です。しかもそれによって「統一教会との癒着問題はこれで片をつけたぞ」というポーズをとるアリバイを得た。野党は野党で「俺たちのおかげで厳しい法律ができた！」と自己満足に陥っていて低レベルです。

ただ、今も言ったように「信教の自由」を規制するのはむずかしい。だからこそ個別判断して反社会的な組織と断じ、規制や解散を命じるほかない。ある特定の宗教団体に対し、反社会団体として活動を規制する。今回の問題に関して言えば、統一教会の反社会性を国家が認定して、宗教法人として認めない。

また被害者救済法は、「信教の自由」とはまた別の側面において問題をはらんでいます。

雨宮　もう少し具体的に聞かせてください。

白井　対統一教会だけではなく、今回の救済法が他の対象に応用されることへの危惧(きぐ)です。左派やリベラルの側の反体制的な団体も、「危ない団体」として取り締まりの対象になる可能性があります。

れいわ新選組を例にします。「山本太郎が首相になると信じて、れいわに政治献金したのに、いつまでも首相にならない。だまされた、金返せ」と誰かが訴えたらどうなるのか。それを自民党が悪用したらどうなるのか。被害者救済法が、特定の政党や団体に対して悪用されるかもしれない。そうした懸念が生まれるのは、順番を間違って無理やり法整備したからです。

雨宮　では、どうすればいいんでしょうか。

白井　統一教会は、今のところ宗教法人の資格を失っていません。立派に国家が公認した宗教団体です。まず順番として解散命令が先です。法整備の前に、宗教法人として立ち行かなくさせることが第一歩であるべきです。

できません。

「信教の自由」が奪う子どもの命と権利

雨宮　被害者救済法に関しては、白井さんと同じ意見です。たしかに一緒くたにできないですよね、いろんな宗教を。それにいい宗教、悪い宗教を誰が決めるのか。その線引きは簡単にはできません。

白井　だから「この団体は反社会組織であり、宗教ではない」と位置づけ、一線を引くしかない。そうした個別的判断は、可能だと思うのです。自民党と統一教会がズブズブなので、その認定を躊躇(ためら)っていて「質問権を行使する」とか、なんのかのとやっている。今回の「被害者救済新法」は筋論からしておかしいし、統一教会問題の解決になりません。

雨宮　それとは別に、二世・三世を守る法整備がなされることも急務だと思います。統一教会の二世が20年ほど前に出した『「人を好きになってはいけない」といわれて』（大沼安正著、講談社、2002年）という本があります。本のタイトル通りですが、統一教会二世は自由恋愛なども ってのほかという環境に置かれています。

ですが、親が子どもの恋愛を禁止したり、親の入っている宗教の信者との結婚を強制するのは、法的に問題ないんでしょうか。他人がやったら大問題ですよね。しかし、親が宗教に入っていれば、今のところどんな極端な制約も「信教の自由」として認められてしまう。

白井　おっしゃることはわかりますが、そこはすごく微妙な問題です。伝統宗教の世界でも、ずっとあることです。親が強い信仰心を有していれば、子や孫にも同じ信仰を持ってほしいと考えるのは自然なところがあります。

雨宮　「教義に背いたら地獄に落ちる」みたいに小さい頃から親に植え付けられるからこそ、なかなか反発もできないし、家族や親族全員が宗教に入っていて、それ以外の知り合いが1人もいないという二世も多いので助けを求める先がない。もし自分だったら、絶対に耐えられないと思います。

白井　そんな状況に対して子どもは反発する。場合によっては家出をしたり、縁を切ったり、数限りなく繰り返されてきたことです。要は親から子への価値観の強制です。ただし僕だって、自分の子が自民党支持者になったら嫌ですよ。多かれ少なかれ起きることです。

問題は、そこで国家が「価値観の強制を禁じる」と押さえつけることができるのか、どうか。できるとして、「許される価値観の強制」と「許されない価値観の強制」の線引きをどこで行うのか。憲法の原理原則にまで話が及びます。「信教の自由」は、人間の内面の自由と重なりますから、それを法律で規制するのは、原理的に考えてすごくややこしい。

雨宮　宗教二世の人たちが駆け込める場所、相談する場所が複数必要ですね。でも、親から逃げられる人はまだましです。逃げられない人たちは、ずっとその環境にいるしかない。

白井　山上容疑者がまさにそうでしたね。

雨宮　児童養護施設に入った経験がある人に話を聞くと、施設にはだいたい宗教二世の子がいたと言うんですよね。虐待されていたとか、人身御供として捧げられそうになって保護されたとか。学校だけでなく児童養護施設も、二世問題に直面してきた場です。そういう現場からも、どういう支援が必要なのかとかの聞き取りがなされるといいかもしれません。とにかく、二世の命と権利が守られる法整備が必要だと思います。

白井　宗教二世・三世や子どもの権利問題は、国会でも考慮されませんでした。

雨宮　今のまま、治外法権のような状態でいいのか。こういう問題に対して、医療などの現場では命を救うためのガイドラインが作られてきました。

よく知られている通り、エホバの証人では輸血ができません。輸血できず、子どもが亡くなった事件もありました。そこで日本輸血・細胞治療学会などが、親が15歳未満の子どもの輸血を拒否したら「医療ネグレクト」とみなし、親権停止処分の手続きを進めるとしたんです。あるケースでは、病院が児童相談所に通報、児相が家庭裁判所に親権停止処分を求め、それが半日で認められたケースもありました。

ですが、こんなアクロバティックなやり方を現場任せで続けていていいのか。国が率先して対策を講じ、子どもの命と権利を守らなければいけないのではないか。

これまでは、医療現場や教育現場にものすごく大きな問題が丸投げされていました。これからは国が明確に、宗教二世・三世の命と権利を守ってほしいと思います。

白井　確かに、非常にデリケートな問題ではあるものの、教育や医療が受けられないという明白な人権侵害に対しては、法的介入の手段を確立することを考えなければならない時期であるのでしょう。全国霊感商法対策弁護士連絡会などはそうした方向に動いているのだと思います。

雨宮　そうした動きも、宗教二世・三世の人たちが声を上げ始めたからです。法整備も、二世・三世の当事者の声を受け止めてやっていくべきだと思います。

第4章

米中危機と暴走する自民党政治

露呈した安倍体制の腐ったはらわた

白井　２０１８年に出した自著『国体論―菊と星条旗』（集英社新書）のなかで、「２０２２年は大きな転換をもたらす節目の年となる」と予測しました。１９４５年の敗戦から数えて77年、１８６８年の明治維新から敗戦までが同じく77年です。

雨宮　そうだったんですね！

白井　マラソンで譬（たと）えるなら日本の「近代前半」と「近代後半」の折り返し地点が１９４５年で、２０２２年の日本はスタート地点に戻ってきたわけです。

２０２２年には、ロシアによるウクライナへの軍事侵攻が起きました。アメリカ主導で先進諸国は厳しい対露制裁に踏み切ったものの、制裁不参加国が多く、ロシアの戦意はいまだ挫（くじ）かれていません。この動きを見ても、アメリカ中心の世界秩序の揺らぎは決定的です。

雨宮　そして7月には安倍元首相銃撃事件（7月8日）が起きた。

白井　あの事件を機に、統一教会と自民党との深い癒着が顕在化しました。この衝撃的事件を通じて露呈したのが、自民党政治の腐ったはらわたです。森政権（２０００年4月～01年4月）以降、清和会（「清和政策研究会」。岸信介の系譜に連なる自民党の最大派閥、「タカ派」議員の集まり）は4人もの総理大臣（森、小泉、安倍、福田）を輩出し、保守の「本流」と「傍流」は入れ替わりま

平成以降の内閣総理大臣及び在任期間（2023年4月1日現在／降順表記）

岸田文雄	2021年10月4日～現在
菅義偉	2020年9月16日～21年10月4日
安倍晋三	2017年11月1日～20年9月16日（第4次安倍内閣） 2014年12月24日～17年11月1日（第3次安倍内閣） 2012年12月26日～14年12月24日（第2次安倍内閣）
野田佳彦	2011年9月2日～12年12月26日
菅直人	2010年6月8日～11年9月2日
鳩山由紀夫	2009年9月16日～10年6月8日
麻生太郎	2008年9月24日～09年9月16日
福田康夫	2007年9月26日～08年9月24日
安倍晋三	2006年9月26日～07年9月26日（第1次安倍内閣）
小泉純一郎	2005年9月21日～06年9月26日（第3次小泉内閣） 2003年11月19日～05年9月21日（第2次小泉内閣） 2001年4月26日～03年11月19日（第1次小泉内閣）
森喜朗	2000年7月4日～01年4月26日（第2次森内閣） 2000年4月5日～7月4日（第1次森内閣）
小渕恵三	1998年7月30日～2000年4月5日
橋本龍太郎	1996年11月7日～98年7月30日（第2次橋本内閣） 1996年1月11日～11月7日（第1次橋本内閣）
村山富市	1994年6月30日～96年1月11日
羽田孜	1994年4月28日～6月30日
細川護熙	1993年8月9日～94年4月28日
宮澤喜一	1991年11月5日～93年8月9日
海部俊樹	1990年2月28日～91年11月5日（第2次海部内閣） 1989年8月10日～90年2月28日（第1次海部内閣）
宇野宗佑	1989年6月3日～8月10日
竹下登	1987年11月6日～89年6月3日

※1989年以前の歴代（戦後）内閣総理大臣は中曽根康弘、鈴木善幸、大平正芳、福田赳夫、三木武夫、田中角栄、佐藤栄作、池田勇人、岸信介、石橋湛山、鳩山一郎、吉田茂、芦田均、片山哲、吉田茂、幣原喜重郎、東久邇宮稔彦王とさかのぼる。

出典：首相官邸Webサイト「歴代内閣」を基に作成。

した。戦後自民党の主流だった「穏健保守派ナショナリズム」は、支離滅裂かつ攻撃的な「対米従属ナショナリズム」「排外主義的ナショナリズム」に入れ替わったわけです。

安倍晋三は、その病的ナショナリズムのシンボルでした。奇しくも山上徹也容疑者の弾丸が白日の下に晒したのは、この構図の異様さです。そして2012年以降の安倍体制の継承者たる岸田政権（2021年10月〜）は、安倍の国葬を即座に決めることで、この体制を正当化して、その異様さの露呈を必死に防ごうとしました。

その意味でも日本は今、深刻な分岐点に差しかかっています。ロシア・ウクライナ戦争があって、世界がこう物騒だと「日本も軍事力強化！」の雰囲気が出てきます。そこで岸田政権が決めてしまった。「わかりました。防衛力を強化します。どーんとやります」と防衛費を大増額することを決めてしまった。

雨宮　コロナ禍も4年目に突入した今、昨年からの物価高騰で困窮者支援の現場にはさらにSOSが殺到しているというのに。

白井　ところが、その防衛力強化の内容ははなはだ怪しい。実質的に国防を強くする軍拡ではなく、アメリカに貢ぐ側面が断然優先している。このプランはお金がかかります。増税するしかありませんよ。

雨宮　総務省の消費者物価指数によると、2022年10月の物価（生鮮食品のぞく）は前年同月比で3・6％上昇。これは1982年以来、40年ぶりの上昇率です。食品だけでなく、電気・

ガス代も上昇している。2022年の家計支出は前年比で9万6000円増えて、2023年度はさらに4万円増えると言われています。そんな物価高騰ですが、2023年2月時点で18カ月連続で続いています。

これだけの物価高で、そこに増税なんてされたらもう……。しかもフリーランスを潰すようなインボイス制度（2023年導入の消費税［付加価値税］の仕入税額控除）まで始まる。

白井　こうした現実にまだ気づいていない国民が多い。軍備拡張のかなりの部分は外国から兵器を買うことです。それを買うためには外貨が必要で、税のかたちで国家が国民から富を取り立て兵器を買うしかない。つまり大増税しかありません。

ここまでされて、やっと反対が7割くらいの世論調査（2023年1月にTBS系列が実施した世論調査「防衛費の増額」賛成39％／反対48％、「防衛費増額のための増税」賛成22％／反対71％）です。「国民よ、ようやく気づいたんかい！」と言いたくなる。「軍備は増やしてほしい。でも増税は嫌です」ってそんな理屈が通るわけない。

安倍、高市、岸田の「3人金太郎飴」

白井　3・11東日本大震災以来、今僕は最も強い危機感を感じています。その最たる理由が、今回の防衛費大増額です。日本は一体、どこへ向かっているのか。物価高で人々はこれだけ苦しんでいるのに、なぜ防衛費大増額を決めたのか。

雨宮　防衛費を現行5年間の計画の1・6倍にするというアレですね。その額なんと43兆円。社会保障費などについては常に「財源がない」ことを理由に削減してきた自民党政権が、防衛費に関しては財源論をスルーする。

白井　困窮者や弱者を救わなければ社会が壊れてしまう。それが国の存亡に関わることを政治家なら、かつては誰しもわかっていた。それは、必ずしも博愛主義でやったわけではありません。社会を再生産するには弱者を救う、もっと正確に言えば、できるだけ弱者を発生させないようにする必要があった。今の日本の政治家には、こうした考えすら持っていない。

雨宮　ありませんね。財源がないという理由でカットされてきた最たるものが、第2次安倍政権（2012年12月〜14年12月）での生活保護基準の引き下げです。

額は史上最大の670億円。2013年から引き下げが強行され、段階的に削減されました。それが今も生活保護利用者を苦しめています。特にこの物価高騰でみんな悲鳴を上げている。ちなみに2013年からの引き下げに対しては、全国各地で引き下げを違憲とする裁判がなされ、大阪、熊本、東京、横浜、宮崎、青森、和歌山、さいたま、奈良地裁では原告が勝訴しています。引き下げが違法と認められた。2023年4月時点で18地裁で判決が出ているのですが、9勝9敗。22年10月からは6連勝が続いています。

引き下げ違憲訴訟の原告である2人の生活保護利用者から最近、その苦しい生活実態を聞かせてもらいました。1人は58歳の男性で糖尿病がある。生活保護引き下げで生活は苦しく、1週間の食費は1500円。1日2食、豆腐と納豆の生活で体重は5キロ落ち、血糖値の数値も悪化してしまった。医師から食生活の改善を指導されても、どうしようもない。

もう1人は54歳の男性で、電気代がすごく上がったので、真冬でも室内でダウンを着て、暖房費を削っているそうです。他にもよく聞くのが、お金がないので友人のお見舞いや冠婚葬祭も行けず、それが続くと人間関係も崩れるということです。

白井 そんな状況で防衛費を増大するのだから、狂っているとしか言えません。防衛費を増やすなら、増税するか、社会保障費をガーンと削るしかない。

雨宮 もう、「貧乏人は見捨てる」みたいな姿勢を隠しもしないですよね。そもそもこれだけ物価が高騰しているなら、生活保護基準の引き上げこそが緊急に必要なんです。実際、1973年から74年にかけて、オイルショックのあおりを受けて「狂乱物価」と言われた時期には緊急的に保護基準が引き上げられました。なぜ今、こういう対応ができないのか。しないのか。

白井 だから、これから起こるというか、すでにけっこうな数が起こっているのですが、もっと頻発するであろうものは、自滅的で無軌道な怒りの爆発、すなわちテロですよね。腐った現政権、自民党政治について語る前に、およそまっとうな発想のできる政府ではない、ということを共有しておきましょう。

雨宮 確かにまっとうな発想が全然ない。ちなみに岸田政権は何も決められないのに、なぜ国葬と防衛費増額はすぐに決めたんでしょうか。
白井 防衛費増額をすぐ決断した理由はシンプルです。要するにアメリカです。
雨宮 そうか……。しかも実質賃金が下がり続けているのに「増税」をブチ上げる。庶民の声を聞く気などさらさらない。岸田総理って、「聞く力」とか言ってませんでした？
白井 言ってた、言ってた。
雨宮 その力はどこに行ったんでしょうね。今やっていることを見ても、本気で人の命を守ろうという気概など微塵（みじん）も感じません。これはコロナ対策でもそうでした。多くの人が病状が悪化しても入院できず、救急車を呼んでも搬送先がなく、自宅療養中に命を落としました。
第6波だけで少なくとも161人（読売新聞の調査）、第7波で少なくとも776人（厚生労働省のまとめ）。第何波と回を重ねても一向に状況は改善されなかった。そんな国で防衛費を増やしたところで、命が守れると誰も本気で思いませんよ。
白井 聞く力とは、「アメリカの意向を聞く力」なんでしょう。防衛費の問題は、テレビを見ていても本当に気持ち悪い。「アメリカ」の4文字を、テレビのコメンテーターは誰も言わないでしょう。
財源だの、増税だの、国債を出すだの、僕に言わせるとどうでもいい。それはまったく本質ではなく、とにかくアメリカが「出せ」「防衛費を増額しろ」と圧力を掛けている。NATO諸国にもGDP比2％にしろと言っていて、それと同程度の水準を求めているわけで、マッチポンプ的です。「脅威が高まっている、だから防衛費の増大が必要だ」という理屈になっていますけど、その脅威の高まりに対してアメリカは大きな責任があるのですから。

雨宮さんの言った生活保護基準引き下げも安倍さんの政権時のことですが、防衛費を大きく上げようと言い出したのも安倍さんです。安倍さんが首相を辞めた後、「台湾有事（台湾海峡危機）は日本有事だからもっともっと防衛費を積まないとダメだ」と言い出した。

それを受け継いだのが高市早苗さん。自民党総裁選当時の時点で、世の中の一般的な受け止めを思い出してください。「高市の方向性は極端だ」「危うい」「そんなに防衛費を増やしてどうすんの？」の声が大きかった。

それに比べると穏健に見えた岸田さんが自民党総裁、総理に選ばれた。しかし、その本人が今やっているのは、高市さんが総裁選で主張していたことそのものです。しかも最初に言い出した安倍氏はもうこの世にいない。だから、まことに恐るべきことです。安倍、高市、岸田と3人政治家がいるように見えて、本当は1人もいない。金太郎飴（きんたろうあめ）であり、腹話術の人形です。腹話術師はもちろんアメリカです。

米中の覇権国争いが示すもの

白井 今日の日米安保体制を見た時、日本に国家主権があるのかどうか、大いなる疑問を感じます。

それでもかつては、「対米従属」を有効活用し得る構造が国際関係にはありました。旧ソ連が存在したからです。米ソの冷戦対立（1945～89年、91年旧ソ連崩壊）を前提とするなかで、対米従属の構造がありました。旧ソ連への対抗上、アメリカとしても日本に恩恵を施す動機があった。

言うまでもなく、米ソ冷戦はとっくに終わっています。旧ソ連がなくなった1991年で、日本は対米従属をやめるべきでした。それができないまま、ここまできてしまった。自分で自分の立ち位置を定めることをせず、ただひたすら対米従属を追求しているうちに、世界的な覇権交代あるいは覇権の崩壊の時代を迎えつつあるわけです。

20世紀後半から現在まで、アメリカの時代でした。その前はイギリスの時代です。第1次世界大戦と第2次世界大戦があって、世界の中心はイギリスからアメリカに移っていった。こうした出来事を「ヘゲモニー（hegemony）交代」と政治学の分野では呼びます。ヘゲモニーは「覇権国」を意味します。政治、経済、文化、イデオロギーといった多側面で世界の中心になっている国、ということですね。

戦後の日本は経済的に大成功を収め、アメリカが「やばいぞ」と感じ始めるほどだった。それでも日本には、アメリカの地位を奪い、覇権国になろうとの発想は一切なかった。その結果、経済的に世界各国から一方的に巻き返されてしまった。

それが今、アメリカから中国へとヘゲモニーが移るかもしれない情勢にあります。アメリカは当然「もうダメだな」「中国に覇権国を譲ろう」とおとなしく没落するわけがない。中国は中国で、アメリカのヘゲモニーに本気で挑戦してきています。だから、アメリカと中国の対立には、落としどころがない。

雨宮　もはや戦争、という落としどころ……？

白井　歴史的に見て、覇権国の交代は平和裏に行われるよりも大きな戦争を通じて行われたケースが多い。だから怖いんです。

アメリカは中国とどう戦うのか。世界最強の軍隊を持ちつつ、ここ10年、20年の動向を見ると、極端にいえば自国の兵隊を殺せない軍隊になっています。アフガン戦争、イラク戦争、いずれもアメリカは逃げ出す形で撤退を強いられています。火力で相手国を圧倒しても、実効的に支配するためには、多くの兵士を送り込み、面的に制圧しないと勝ち切れません。当然、甚大な犠牲がともなってしまう。それをアメリカの世論が認めるはずがない。

どうします？　お誂え向きの連中がいるじゃないですか。

雨宮　日本？

白井　そう、日本しかない。しかも刻一刻とその方向に進んでいます。このままいけば、日本は今のウクライナの状況になりかねない。アメリカとＮＡＴＯの代理戦争のように、日本がウクライナの役割を担わされかねません。

そんなことは日本国憲法が許さないと考える人もいるかもしれませんが、今や憲法9条は空文にすぎません。集団的自衛権の行使容認にせよ、敵基地先制攻撃能力にせよ、改憲などしなくてもここまでできてしまっているのです。

むしろ改憲という、ややこしく骨の折れる課題に自民党政権は取り組まないでしょう。リスクがあるばかりで必要性がないのですから。早い話が、日米安保条約を前にした時、日本国憲法に大した意味などないのです。言い換えれば、日米安保条約こそ実質的な憲法だということでもあります。さらに言えば、安保条約に付随する日米地位協定も日本国憲法に優越します。

雨宮　そうなんですね……。「9条守れ」だけではどうにもならない現実があると。

岸田政権の原発大推進

白井　防衛費の大増額に関心がいきがちですが、岸田政権は原子力政策に対しても、すごいことをやろうとしています。早い話が原発再推進への回帰です。原発を再稼働して、そのうえで古くなった原発を建て替えると言っています。

雨宮　つまりは原発の新増設。

白井　原発の運転年数40年ルール、特例で60年まで伸ばせるルール（原子炉等規制法）が、福島の原発事故のあとにできました。それを岸田政権は原子力規制委員会に圧力をかけ、強引にやめてしまった（2023年4月27日、最長60年の原発運転期間の実質的延長法案が衆議院を通過）。

雨宮　ああ……。

白井　モーレツなる原発推進を断行しようとしている。ただし、僕は驚いていません。経済産業省を中心とする原子力ムラの本音は、福島の原発事故が起きてもなお変わっていません。あれだけの事故、未曽有の危機を起こしておきながら、原子力ムラの人たちには反省も後悔もない。原発推進の方針はまったく揺らいでいません。

だからと言って、「原発を復活します」とは声高に口にできなかった。3・11のあと、さすがに原発への風当たりは厳しく、しばらくおとなしい恰好をしていただけです。「ゆくゆくは（原発を）なくしていきます」と口先で言いながら、本心ではそんなことは考えていない。

そのうち原発事故が少し風化して、「やっぱり原発は重要です」と言い出すタイミングを見極めていた。そこに、ロシアとウクライナの戦争が起きて、化石燃料の価格が高騰した。原子力ムラから見れば超ラッキー。

雨宮　そういうことなのか……。

白井　霞が関の省庁勤務である若杉冽さんの書いた『東京ブラックアウト』（講談社、2014年）を読むとよくわかります。もちろんフィクションの体裁をとっているからデフォルメされていますけど、本質を伝えています。

あの作品のなかでは、もう一度福島級の事故が起こるのです。その時経産官僚をはじめとする原子力ムラの連中は何を考えるかというと、「汚染された地域はもう住めないから、世界中の核廃棄物をそこに集めて世界のゴミ箱にして、それで利権を増やそう」と考えます。これこそが彼らの発想なのです。

こんな連中ですから、戦争によってガスや石油の値段が上がると、電力供給不安になる。「これはチャンスだ。どんどん不安を煽れば、バッチリ原発回帰ができる」と発想したわけです。政府は「電力危機です！　節電してください！」と叫んでいましたが、あんなのインチキもいいところ。本当に電力逼迫するのであれば、節電の数値目標を出します。数値目標も出さず、「可能な範囲で節電してください」とアピールするだけ。原発を動かしたいがための煽りにほかなりません。

電力のピーク需要を本気で削りたいのなら、工場の稼働を止めないとできません。産業用電力の割合が家庭用電力よりずっと大きいわけです。工場の操業停止を検討することもせずに、「電力が足りない！」なんて戯言にすぎない。

対米従属と原発推進。この2つの考えに凝り固まった官僚や政治家が支配している。悪魔が支配しているのと変わりません。

雨宮　私の周りには、今も福島から東京に避難している人たちがいます。小学生で避難してきた子どもはもう大学生です。最初はあった支援もどんどん打ち切られている。原発事故はちっとも終わっていないのに、この急激な原発回帰に驚いています。

名ばかり政治主導と官僚の専制政治

白井 安倍政権（2012年12月～20年9月）は「政治主導」をある意味でやりました。内閣人事局ができ、人事制度としては、政治家が官僚を更迭することも、起用することも自由にできるようになった。でも政治主導は、人材を登板させるだけでは成り立たないです。

雨宮 何が必要ですか。

白井 政治家の知性。安倍さんには……。

雨宮 残念ながらなかった。

白井 官僚はそれぞれの分野のエキスパートであり、エリートとしてのプライドがあります。そのプライドの高い官僚を説得し、納得させないと、きちんと働かせることはできない。これができたら本来の「政治主導」です。

知性のない政治家に、そんなことはできません。他方で、政治の側の人事権だけは肥大化した。そういう構造のなかで何が起きるのか。モラルの面でも能力の面でも問題アリだが、ご機嫌取りだけはうまいというタイプが取り立てられる。

こうして安倍さんがもたらしたのは、政治主導に見せかけた特定の官僚による極めて恣意的な政治、専制的な政治です。官僚は本来黒子の存在なのに、今井尚哉（通産・経産官僚。エネルギー政策等担当の内閣官房参与）、杉田和博（安倍・菅内閣の内閣官房副長官）といった官邸官僚の存在がクローズアップされ有名になった。安倍政権の内実が官僚の専制政治であったことの証拠でしょう。しかし、それでも今の岸田政権に比べると、マシだったかもしれない。

雨宮　え、そうなんですか？

白井　安倍さんは、政治主導の外見を取り繕うくらいのことはした。岸田さんにいたっては、外見を取り繕うことすらしない。防衛費増額にしろ、増税にしろ、原発推進にしろ、エスカレートするばかり。これらは要するに、各関係省庁の既存路線への回帰や強化が露骨に表われているわけです。もうこれは、あられもない官僚専制、行政権力の独裁ですよ。

それで岸田さん、戦争準備を始めたらハタと気づいた。「少子化が進み過ぎて兵隊が足りないじゃないか！」と。今頃になって、バッカじゃなかろうかという話なんですが、それでもいまだに予算が付けられずグダグダゴタゴタやっている。

この件に関しては、僕も子育て世帯主の1人として、本当に怒髪天を衝く怒りを感じています。この10年余りの間、日本政府は子育て世帯を支援するどころか、負担を増やしてきたのです。現状、16歳未満の子どもに対する扶養控除はありません。16歳以下の子どもが何人いても、税金は1円も安くならない。狂っています。

雨宮　えー、ひどいですね!!　いつからそんなことになったんですか？

白井 順を追って説明します。民主党政権（2009年9月～12年12月）が子ども手当（「15歳以下の子どもを扶養する保護者等」に対する金銭手当支給制度）を導入した時、子どもの扶養控除がなくなった。たくさん現金給付されるんだからいいよね、というわけです。そのあと2012年末に自民党に政権が戻って、子ども手当は廃止されました。ところが廃止された扶養控除は復活しません。

つまり、民主党政権前の福田政権（2007年9月～08年9月）、麻生政権（2008年9月～09年9月）といった自民党政権の時代に比べると、現在のほうが子育て世帯は増税されているのですよ。控え目に言って、頭がオカシイですね。

安倍政権は埋め合わせに児童手当をちょっと増やしましたが、申し訳程度。さらにその後自公政権は、所得制限をかけてきた。高額所得者には給付しませんよって、その「高額所得」って年収1000万円程度。ドル換算（1ドル＝134円）すれば、7万5000ドルにも達しない。この程度で高額所得者！ って、本当にどんだけこの国が貧乏になったかを実感させられます。

安倍政権以降の少子化対策で評価できるのは幼稚園、保育園の無償化だけです。もちろんこれだけで少子化を止められるわけがない。

しかもです。野党もこの扶養控除の問題を全然意識していない。この点について僕はここ数日、ツイッターにしつこく書き込んでいます。

岸田政権の「異次元の子育て対策」が聞いてあきれるけれど、扶養控除の件を提起しない野党に岸田を批判する資格なんかないんですよ。

雨宮　怒りのツイート連投、私も見ました。

白井　しつこく、しつこくね。野党はなぜ、扶養控除の復活を国会で要求しないのか、しつこく書き込んでいるのに、誰も答えてくれません。

年少者扶養控除の復活は、一丁目一番地でしょう。そもそもこれがないことは、税の公正性の原則からしておかしいんです。子どもが自分の生活費を稼ぎ出せるわけないんだから誰かが扶養しなければならない。その扶養の負担が税負担額を決めるうえで何もカウントされない。16歳未満の子どもは霞(かすみ)でも食って生きていると思ってんのか？　ふざけるのもいい加減にしろ、ってことです。

「バイデンさん、会ってくだちゃ〜い」

白井　防衛費大増額についてと、昨今の世界情勢、ロシアとウクライナ戦争（2022年2月〜現在）、台湾有事の可能性について、ロスジェネがどう受け止めているのか気になります。

雨宮　それほど関心はないように思います。

白井　まったく対岸の火事だと思っているのかな。

雨宮 話題になっても「戦争で物価が高騰して大変」レベルですね。ロシアのウクライナ軍事侵攻が始まった次の日、ロシア大使館前に抗議に行く人たちがいたので、私も参加しました。参加していたのは高齢の方が多く、30人くらいでした。

それからすぐ、渋谷でウクライナの人たちがデモをした時は、若い世代が結構いましたね。ただ、その頃に比べると、今は関心が急速に薄れてきた印象です。もちろん、侵攻から1年経った区切りの時にはいろんなイベントや集会がありましたが、広がりがあるかと言えば、もともと関心の高かった人たちが来ているという印象です。

白井 僕はウクライナ紛争が空気の変わり目をもたらしていると感じていて、危機感を覚えています。端的に言うと「戦争は起きるものだ。世界は危険に満ちている」という空気です。こうした空気が広がってきた。

戦争は必ず起きるもの。それは一種の真理ではあるけど、戦争は人為であって天災ではない。だからこそ今起こっていること、起こりそうなことに対する論理的な分析が行われなければならないわけです。

そこでロシア・ウクライナ戦争ですが、この戦争は二面的なものです。ウクライナの側からすれば、祖国防衛戦争でしょう。けれども第三者の視点に立てば、代理戦争的な要素もある。ロシア対NATO、ロシア対アメリカの構図がある。

雨宮 確かにそうですね。

白井　ところが今の日本の議論の場でそのように説明すると、「お前はロシアの味方か」と批判されてしまう。おかしな力学です。そのおかしな力学が、「戦争は起きるものなので備えなければいけない」空気を生んでしまう。

その象徴と言えるのが、例の国会演説です。オンラインでウクライナのゼレンスキー大統領が演説（2022年3月23日）して、自民党の誰だっけ、無駄に感極まっていた女性議員がいたでしょう。

雨宮　山東昭子氏（当時、参議院議長）。

白井　そうそう、気持ち悪かった。

ウクライナの人たちは、言うまでもなく過酷な状況にいます。それを自民党の政治家が、ある種の心理的マスターベーションのネタにしていた。

そこに有権者もまんまと感化される。「やっぱり戦争はあるものだ」の空気だけが流れていく。それがどういう結果をもたらすのか、日本の相手が誰なのか。中国ですよ。

「中国はならず者国家だ。日本は守りを固めなければならない。場合によっては先制攻撃も必要」との論調が出てきた。操っているアメリカからすれば、実にチョロい話です。

雨宮　防衛費増額の話もそうですし。

白井　岸田首相が今年（2023年）1月に訪米すると聞いて、ピンときました。2022年5月にバイデンと会った時に、「防衛費を増やします」と約束してしまった。岸田さんとしては、早くまたバイデンに会いたい。でもアメリカは、さほど日本に関心ない。「バイデンさん、会ってくだちゃ〜い」だけではダメ。おみやげがいります。

雨宮 ああ、それで。

白井 トマホーク（アメリカ開発の巡航ミサイル）とか、兵器を日本が爆買いする見返りにバイデンに会える。今回の防衛費爆増は、いわば面会料です。

まるで江戸・吉原の花魁（おいらん）の世界です。「花魁と会うなら、ひと晩で一千両ぐらい積みなさい」みたいなしきたりと同じようなものです。

「攻められたらどうするのか」への回答

白井 バイデンとうまくやっている姿を見せれば、岸田政権の支持率も上がると見込んでの行動です。安倍晋三がさんざんやったことなので、もうこの構図には本当にウンザリ、というか反吐（へど）が出ます。日本の首相が米大統領との蜜月（みつげつ）を演出して支持率上昇を狙（ねら）うというこのみすぼらしさ。

しかし、こんなしょぼい戦術はそれなりに当たってきたのです。早い話が国民の一般的なレベルの低さが、こうした状況をもたらしています。

雨宮 白井さんが「空気の変わり目」と言ったように、ロシアのウクライナ軍事侵攻の前と後では、明らかに日本社会の「空気」が変わりました。「日本がウクライナになったらどうするのか、攻められたらどうすればいいのか」。その言葉がすごく説得力を持つようになった。

ある意味でこういう不安を持つのは当然だとも思います。ただ、この不安に対して野党、リベラルの側から明確な答えが出ているとは感じません。リベラル側から届ける有効な言葉が今だからこそもっとあるべきだと思うのに、私もなかなかわかりません。


白井　「攻められたら」という仮定の抽象性を問い返すべきだと思います。どこの国が、どんな目的で我が国に侵攻する可能性があるのか、それを具体的に想定しないままそんな仮定をしても意味はないわけです。最も可能性が高いと目されるのが台湾有事ですけれど、ではその台湾有事は誰が、どういう目的で発生させる可能性があるのか、それが起きるならその時日本はどのようなかたちで関係するのか、すべきなのか。そうした具体的次元をすっ飛ばして、いきなり「攻められたらどうする」に飛んでしまう。

そして、これはそもそも論なんですけど、軍事の問題において、日本国家に主権はない、ということが理解されていないのです。仮に台湾有事が起きて、アメリカが武力介入するならば、自衛隊はほぼ自動的に参戦させられ、米軍の指揮下に置かれます。

いわゆる指揮権密約が公然のものとなる。「攻められたら」というけど、「攻められる」ような状況をつくる主体は、日本ではなくてアメリカなんですよ。我が国は徹底的に主体ではなくて客体にすぎない。その前提を踏まえないと具体的な議論はできないですよね。

雨宮　アメリカがおかしな方向に進んだら行動を別にできるのか、ということは今年3月、予算委員会で山本太郎さんが岸田さんに何度も質問しています。それに対する岸田さんの回答が本当に通り一遍でお粗末なものでした。イラク戦争を今も正義の戦争だったと思っているのか、検証する気はないのかについては「妥当性を失うものでない」「検証するつもりはない」。

イギリスのブレア元首相もオバマ元大統領もバイデン大統領も誤りを認める発言をしているのに、岸田さんだけが「妥当性を失うものではない」と言っていることに対して、太郎さんは「そんなズレた感覚を持った人間がこの国を運営してたら、戦争に巻き込まれるんですよ!」と突っ込んでいて本当にその通りだと思いました。しかもイラクに派兵された約5500人の陸上自衛官のうち、21人が在職中に自殺しているという事実もある。それなのにイラク戦争について検証の必要もないなんて、何を考えているのかと思いました。

一方で昨年末頃には、自衛隊に入ったら3食無料で食べられる、クリスマスにはローストビーフ、記念日にはステーキが食べられるという勧誘の動画がツイッターで話題になったりもしました。

白井　「食うに困ったら自衛隊に入ればいい」と考える人たちがいると聞きました。

雨宮　逆に自衛隊が、「食うに困っている人」を探してピンポイントで勧誘している。これは2008年頃からで、ネットカフェ難民の支援団体などに、自衛隊がリクルートに来るということはありました。

その頃くらいから、困窮している若者が溜まっている場所があると自衛隊が気づき出した。中にはフリーター系の労働組合に来たこともあるそうです。彼らのセールストークに出るのは、いろんな資格が取れるということ。自衛隊って大型免許とかフォークリフト免許とかいろいろ取れるんですが、女性限定でネイリストやブライダルプランナーの資格も取れる。

白井　ええ、そうなの！

雨宮　そうなんです。やめたあとの再就職サポートということらしいです。あとは歯の治療もできるとか、困窮者のニーズをわかっている。

白井　自衛隊の側からすると、定員充足の方法をかなり一生懸命探しているわけですね。目論見通りに反応して、「今こそ、自衛隊に入ろう！」と真に受ける人はいるのかな。

雨宮　私の知っている限りは、それで入った人はいません。ただ、それは都会だからだと思います。地方になると状況はまったく違いますよね。

私の地元の北海道滝川市では、自衛隊は普通に就職先の1つです。最近、北海道の札幌、旭川、帯広市が、自衛隊に18歳と22歳（札幌と旭川）、あるいは18〜32歳（帯広）の名前、住所、生年月日、性別などの個人情報を提供していたことが「赤旗」で報じられました。

それで制服姿の隊員が訪ねてきたこともあったそうです。このタイミングで若い世代6万人の情報を市が自衛隊に提供するという方針転換をしたことは、どうしてもいろいろ深読みしたくなります。

白井 確かに、地方では自衛隊に入るというのは多くの若者にとって現実的な選択肢ですよね。元自衛官（自衛隊防空ミサイル隊員）で市民活動家の故・泥憲和（どろのりかず）さんと講演会でお話ししたことがあるんです。ちょうど「経済的徴兵制」の言葉が広まり始めていた時期だったので、これについて泥さんは「今に始まった話ではない。経済的徴兵制は昔からある。自分がそうだった」と語っていました。

泥さんは兵庫県の田舎の出身で、お父さんが自転車屋さんをやっていた。商売がうまくいかなくなったため、口減らしのようなかたちで中学卒業で陸上自衛隊少年工科学校（現・陸上自衛隊高等工科学校）に入った。泥さんは、「自分は国防少年だったわけではない、単に家が貧しくて、自衛隊に入っただけだ。だから経済的徴兵制は別に新しい現象ではない」と言っていました。その話を聞いてハッとしました。

雨宮 泥さんに限らず、田舎では昔から普通に進路の選択肢として自衛隊がありました。私の地元でも自衛隊に入った人はたくさんいるし、駐屯地もある。

白井 ですよね。その際長い間、「戦争は起こらない」を前提として就職先として選ばれていたと思うのです。

雨宮 その意味で自衛隊のイラク派兵には、私もすごく衝撃を受けました。

白井 戦争が起きないのなら、食わしてもらって、いろいろな資格が取れて貯金もできて、悪くないのかもしれない。災害救助などでは大変に感謝もされるし。けれどもイラク派兵、そして集団的自衛権の行使容認、さらには岸田大軍拡で前提が変わってしまった。

雨宮　経済的徴兵制の話で思い出した漫画があります。『週刊少年サンデー』（小学館）で2016年に連載が始まった『あおざくら 防衛大学校物語』（二階堂ヒカル作、現在も連載中）。この漫画は、まさにライトな経済的徴兵制を描いています。

主人公は男子高校生。成績はいいのに、自営業の親には進学のお金が準備できない。奨学金を勧められるものの、返すあてもないのに借りるのは不安。そんな少年に高校の先生が持ってきたのが防衛大学校の資料で、先生は「ここは受験料・入学金・学費がすべて……ゼロ。入学した段階で、特別職国家公務員の身分となり毎月手当がもらえる」と言うんです。その額は、月に手取りで9万円くらいで、夏冬ボーナスが年額35万円くらい。それで主人公は勉強し、無事に防衛大に入り、というのが第1話です。

その漫画がコミックになったので、買って読んだんですが、巻末に漫画家と自衛隊の偉い人との対談が載っていることに驚きました。漫画には東日本大震災で活躍した自衛隊の人たちも出てきて、全国のコンビニで売っている少年漫画でこういうテーマを取り上げたら、憧れる若者も出てくるだろうなと思いました。

もちろん、それで自衛隊に入ることを否定するつもりはありませんが、学費の話なんかがあまりにもアメリカの経済的徴兵制と同じでびっくりしました。

白井　その漫画を貧しい境遇で生きている子どもが読むと、「こんな道があったのか」と感じるかもしれませんね。別に国防少年でなくても。

雨宮 だってむちゃくちゃかっこよく描かれていますから、主人公や自衛隊の人たちのことが。

白井 そうしたカッコイイ路線と同時に、募集広告にアイドルを起用したり、萌え系のイラストを使ったりといったソフト路線の宣伝も目立つようになってきました。どちらもプロパガンダなんだ、ということはやはり言わなければならないと思います。

もちろん、使命感を持って自衛隊に就職する人がいることは理解できます。しかし、より散文的な現実が職場としての自衛隊にはあるでしょう。そして、ソフト路線は本当にフワッとしたイメージです。アイドルも萌え系も、よく考えれば、自衛隊の日常と何の関係もない。何となく親しみを感じやすいものを見せることで視線をとらえて引き込んでゆく。入るなら、自分たちが標的にされているんだ、という現実を理解したうえで、それはあるべきでしょう。

五〇〇〇年の歴史で中国を考える

白井 日本の防衛の第一線にいる人たちの話として、こういう話を聞いたことがあります。「中国が軍拡していることは事実だが、ある一定以上の豊かさに達したところで強い軍隊ではなくなる。国が豊かになると、人の命の価値が高くなる。戦死者をたくさん出すような戦争はできなくなる」

これはなるほどと思いました。とりわけ中国は「1人っ子政策」を進めてきた国なので、1人息子が死んだら家族が黙っていません。政権や軍部もそのプレッシャーがすごいから、戦死者を多く出す可能性のある台湾侵攻のような戦争は簡単にはできないはずだ、と。

中国が軍事的に強くなる流れと、軍隊が犠牲者を出せなくなる流れ。どちらの傾向がどう上回るかによって、今後の日米における対中安全保障の在り方は規定される、というのです。

雨宮 それは納得の指摘ですね。それでも日本では「台湾有事」が煽(あお)られています。

白井 僕としては台湾有事は現状、起きる見込みがないと考えています。多大な犠牲を強いられるはずの中国の視点で考えると、無理がありすぎます。

台湾に上陸作戦を仕掛けて攻め落とすのは、仮にアメリカが加勢しなくてもかなり大変です。天然の要害ですから、中国側に大きな人的損害が出る。そう考えると、今後も長い期間にわたって台湾は事実上は独立国のようなものだが、それを公言はしない。こうした状況がまだかなりの期間続くというのが、もっともリーズナブルな見通しです。

ただし台湾側が独立を訴えれば、中国としてそれは看過できない、武力を用いてでも統一する、という方向に進まざるを得なくなる。台湾もそれをよく承知しているので、「中国から独立」とは言いません。

雨宮 なるほど。

白井 またさらに、だからといって台湾の政権が、国内の台独派（台湾独立派）を滅ぼそうとするかといえばそれもしません。ここが微妙な匙加減（さじかげん）というべきもので、最強硬派というべき台独派が存在することで、現状維持派は、「われわれがいるから台独派を抑えることができているのだ、われわれを尊重せよ」と中国に対してアピールすることができる。

だから、独立派がいなくなってもらっては困るのです。こうした微妙なバランスで、今の台湾国内は均衡を保っていると僕は見ます。つまりアメリカが「台湾に中国と代理戦争させよう」と考えても、台湾はのらないでしょう。

では、代わりに誰がやるのか。圧倒的に日本ですよ。台湾有事を飛び越え、日本有事へと向かう可能性が出てきている。そう僕は考えています。「台湾有事で日本は巻き込まれる」としか言わない人たちは、木を見て森を見ずです。台湾問題が解決したところで、米中対立は終わりません。

雨宮 日本有事の相手は中国？

白井 もちろんそう。尖閣（せんかく）諸島問題がきっかけになる最有力候補でしょう。

雨宮 アメリカも陰では、中国と経済的に手を握っていませんか。

白井 はい、確かに米中の経済的利害は複雑に絡み合っています。しかし、経済的依存は戦争を止めるものでは必ずしもないのです。第一次世界大戦がそうでした。当時のヨーロッパは、国際金本位制の下で人・モノ・カネの国境を越えた移動が盛んに行われていたから、大戦争なんて起きようがない、という見方が有力でした。ところがそれは起きてしまいました。

あるいは、日本はあれだけ石油をアメリカに依存していたのに、1941年12月に対米開戦（12月8日の「真珠湾攻撃」）してしまった。合理的に考えれば、できるはずのない戦争をやってしまった。戦争とはそういうものだと思います。合理的計算を超えるのです。今日、日中戦争なんて始まった瞬間に日本は経済崩壊し、食糧危機にもなります。だから、合理的に見ればできるはずがない。一番恐ろしいのは、起きるはずのないことが起きることなんだと考えるべきでしょう。

では、中国とどう付き合うべきなのか。もっと中長期的な視点で見ていく必要もあります。習近平政権（2013年～現在）は独裁的だと言われ、無制限権力の維持みたいなことをやってるけれど永久に続くわけではありません。

来日した中国の知識人から話を聞くと、「あんなもんでしょ」と言っていました。僕には、その感覚がすごく面白い。歴史的に中国国内の言論統制は厳しくなったり、緩くなったりします。前の胡錦濤（こきんとう）主席の時代（2002～13年）はずいぶん緩くて、みんな好き勝手にやっていた。でも、それがいつまでも続くわけがない。「習近平でちょっと厳しいのがきちゃった。でも、しばらく待っていたら、また終わるから」みたいな感覚です。中国の人たちの時間に対する感覚は日本人のそれとは違うのでしょう。

雨宮　長い歴史のなかで物事を見る。

白井　共産党という一党独裁体制にしても、五〇〇〇年のスパンで捉えています。「中国五〇〇〇年の歴史」と言っても、基本的には独裁か内戦・内乱か、その2つしかない。「独裁と内乱だったら、独裁のほうがマシ」。こういう感覚が中国にはあるらしい。

その感覚からすると、今の習近平（しゅうきんぺい）体制は、そんなに悪いものではないという見方になる。そうした長い時間感覚、歴史感覚のなかで中国の人たちが生きていることを日本人も理解する必要があります。そのように見なければ、今の中国がどうしようとしているのか、台湾の武力統一に踏み切るのかどうか、米中対立を武力による衝突にまで高める意図があるのか、といったことの見極めをつけられません。

人口減少していく中国の未来

白井　米中の軍拡競争については、中国側に勢いがあって、それでアメリカはすごく焦っている。だから、もう中国がアメリカを軍事的実力において追い越すのは時間の問題だ、という見解がずいぶん語られてきました。

しかし事態は、どうもそう単純ではないようです。そこにはまず、人口の問題があります。中国では人口が減少局面傾向に入ってきた。これは資本主義社会の法則としてゆゆしき問題です。「人口＝国力」ですから、人口増が経済成長を支える面がすごくあるわけです。

経済発展が一定の段階を迎えると、高度資本主義社会になって、間違いなく少子化します。人口が横ばいですらなくなり、減少してしまう。文明圏では少子化する傾向はどこも共通しています。

雨宮　日本もそうですし……。

白井　第1章で歴史人口学者のエマニュエル・トッドの理論に少し言及しましたが、それによると人口減少の加速度は、文明圏によっていろいろと開きがあります。

平等主義的かつ民主主義と親和性の高い家族制度を伝統的に持つ文明圏では、少子化はしつつ、そこそこのところで歯止めがかかる。社会が豊かになるとおおよそ価値観がリベラル化するわけで、もともとリベラルな価値観を持つ社会は、資本主義の高度化と相性がいい。だから少子化に対してリベラルな価値観に基づく対策が打たれると、それなりの効果があがる、というわけです。

日本はそこが違っているというのです。資本主義が高度化すると表面的にはリベラルになるんだけど、伝統的な家族制度に根差した社会の基礎には権威主義的なものがある。だから、リベラルな価値観に基づく少子化対策が功を奏さないか、あるいはそもそも対策が打たれない。ヨーロッパの内部ではドイツが日本と似ているとトッドは言います。

そして東アジア全体を見てみると、全般的に少子化の加速がすごい。日本、韓国、台湾、中国みんなそうなっている。この約20年、日本は行き詰まっているものの、アジア全体で見ると、どこの国も経済的には昇り調子です。しかし、それがどのくらい今後続くのか、実は危うい。人口減少を止める方法が見つかっていないのですから。そう考えると、中国の昇り調子もいつまで続くのかわかりません。

もっと言えば、東アジア全体で起きている人口減少はあまりにも急激で、社会破壊的なものです。だから、東アジアから資本主義を乗り越える真のコミュニズムが生まれる必然性があると思いたいのですけれどね。

雨宮　アジアではない国、例えばアメリカの人口はどうなっていますか。

白井　アメリカ全体の人口は増え続けているのに、白人社会では少子化が進んでいます。増えているのは民族的・人種的マイノリティと移民です。これによってアメリカの資本主義は、勝つための土台を新たに作り続けています。非白

世界、中国、インド、日本の人口推移見通し

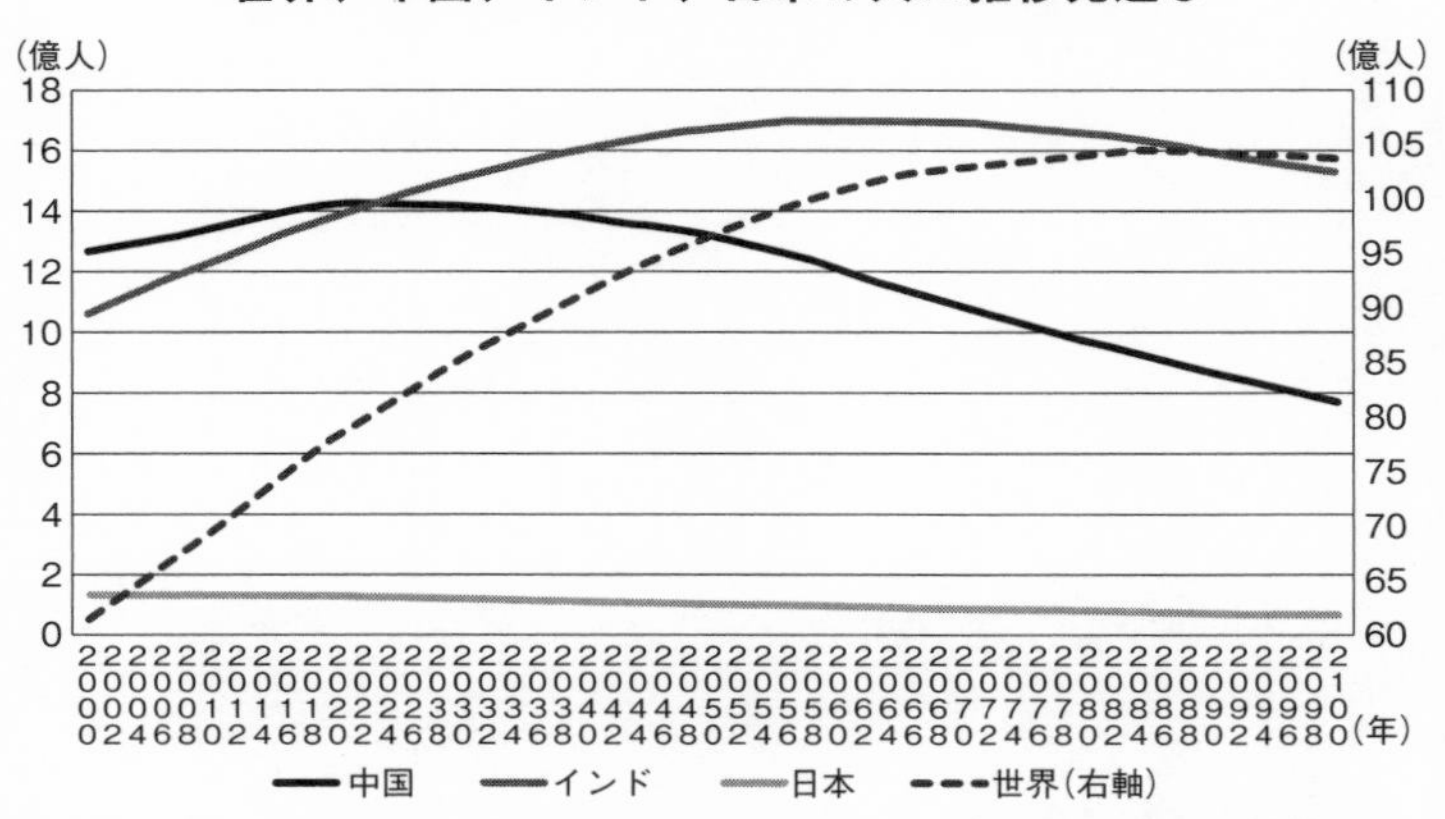

2022年7月1日時点。国連「世界人口推計2022」（中位推計）を基に日本貿易振興機構（ジェトロ）作成。

人の民族的・人種的マイノリティと移民でアメリカの土台を下支えしている。
その半面、古くからいる白人がアメリカの実質的オーナーであるとの考えは変えられない。それで白人中心主義とマイノリティ重視の考えが衝突し、アメリカに深刻な分断を生んでいるわけです。

雨宮　この問題もまさに今日的な課題です。

第5章

起(た)て、ロスジェネ！ 点火せよ、怒りを！

ロスジェネは放置されっぱなし!

雨宮　ここまでロスジェネ問題について語ってきました。2007年に朝日新聞が「ロスジェネ」と名付けてもう16年。2007年頃まで社会的な注目を浴びなかったことも驚きですが、それまでに、ロスジェネの苦境を捉えていた政治家や官僚はいなかったんでしょうか。

白井　いなかったのでしょうね。「ロスジェネは、日本の中心的課題である」とは誰も言わなかったので。ロスジェネが抱える問題は、すべて先送りされ、政治家はなんら手をつけなかった。民主党政権も何もしなかった。

雨宮　今では山本太郎さんが積極的に国会質問などでロスジェネの問題を取り上げています。そういえば、立憲民主党代表の泉健太さん(1974年生まれ)だってロスジェネでしょう。

そういう意味では、ロスジェネが政治の中核を担う年齢になりつつある。そこで強調したいのは、多くの政治家はそもそも高学歴のエリートで、「勝ち組ロスジェネ」だということです。太郎さんは中卒ですが、エリートな高学歴勝ち組は大抵、「負け組ロスジェネ」をどこかで軽蔑(けいべつ)している。「自分は頑張って、自分の努力と才覚でここまでのし上がってきた」と思いこんでいる。

白井　「あいつらは根性がないんじゃ!」と感じている。いわゆる生存者バイアス(成功した対象のみを基準に判断すること）です。

雨宮　「甘えている」と。そんな政治家ばかりだと、政策として同世代の困っている層を救済しようとはなかなかならないのではないでしょうか。世代が同じだからこそ、「ダメな奴」認定する政治家は多そうです。

白井　表面的にはいるかもしれませんが、本当にはいないでしょう。オピニオンリーダーにしろ、政策を左右できるポジションにいること自体、ロスジェネ世代には年齢的にまだ難しいでしょう。だから、一見権力を持っているように見えても、それは上の世代の主流に媚を売って取り立ててもらっているだけ。

政治家ではなくとも、今、政治に力を持っているロスジェネっていないんでしょうか。

政治学者の三浦瑠麗さんの上昇と失墜（夫の三浦清志氏が業務上横領の疑いで逮捕され、出演番組を軒並み降板）なんて、そうした構造を映し出しています。彼女の言説の立ち位置は曽野綾子氏や櫻井よしこ氏に似ているように見えたわけだけど、立ってる足場は本当のところ全然違ったわけです。

曽野氏は泣く子も黙る日本財団で会長を務めた。櫻井よしこ氏のバックはKCIA（大韓民国中央情報部）。片や三浦瑠麗夫妻は、コロナ関係の支援給付金の520万円を四苦八苦して取りに行っていたわけで、だいぶ格が違うよなあという感じです。だから、ああいうことになったら、チヤホヤしていた連中の誰も彼女を守ろうとしない。マリオネットは使い捨てってわけです。

今から振り返ると、ロスジェネ論壇的なものが出てきたり、ロスジェネがブームになった時は、当事者たち自身による主張だった面がまだあったわけです。あのきっかけは第1章でお話しした赤木智弘論文（「『丸山眞男』をひっぱたきたい 31歳、フリーター。希望は、戦争。」、2007年）でしたね。

雨宮 そうですすね。

白井 それからまた15年くらい経っている。もう一度やっぱり、ロスジェネが50歳になったことを見据えて、火をつけ直さないといけません。

考えてみてください。「なんとかしてくれ」とロスジェネ世代が訴えて、何か政策的に打たれたものがありましたか。

雨宮 ほぼないです。あったとすれば、第1章で出たアレです。2019年にロスジェネを「人生再設計第一世代」と名付け、今後3年で30万人を正社員化するとぶち上げた。でも、時すでに遅し。それに30万人じゃどうにもならない上、結果的に3万人しか正社員化していない。

白井 単純に計算すれば、あの時代（2007年頃）のロスジェネは30代半ばでした。「まだ若いから、君たちも頑張ればなんとかなるよ」と社会全体で思われていたのかもしれない。

それから15年、ロスジェネはそのまんま50歳になった、ということです。

雨宮 境遇は加齢によって、もっとひどくなっています。体力もなくなるし、若い時より仕事も見つかりづらい。うつになる人も増えています。

白井　一部の自治体がロスジェネを中途採用しただけ。それも１人か２人でしょう。ずっと放置されたままです。

ネオリベラリズムからの自己責任社会

白井　１つ言えることは、同年代で生き残ったロスジェネは優秀だし、苦労もしているんです。大学院の修士課程を出た後、ハローワークで求人を見つけて、零細出版社に入った知り合いがいます。１人親方の出版社で、社長と彼の２人しかいない。そこで鍛えられたから、編集、レイアウト、カバーデザイン、営業、なんでも自分でやれるようになった。

数年前にある会社が出版事業に進出して、プロパー社員が欲しいということで彼が引き抜かれた。彼いわく「新しい職場で、なんでもできるとは公言していません。言うと、１人で全部やらされてしまう」（苦笑）。これはなかなか大変なものだと思いました。

雨宮　出版に関わることをなんでもできるってすごい。でも、そこまで優秀じゃない人が大半です。どうすればいいのか。

白井　彼のケースは少し極端かもしれないけれど、でも誰でもそれなりの就業経験があれば、能力は蓄積されているはずなんですよね。思うに、雇用形態によって全然それが評価されない、ということです。要するに、これは身分制なのですよ。

例えば、公立の図書館は全国にたくさんありますが、そこの従業員は非正規雇用者が多数になっています。不安定雇用で薄給を強いられている彼らは、実は図書館司書の資格を持って業務に精通していたりする。他方、図書館長は役所から派遣されてきた正規雇用の地方公務員である、と。館長の待遇は非正規職員と比較にならないほど良いわけですが、じゃあそれに見合った働きをするか、といえばするわけがない。

なぜなら、図書館についてよく知らないし、往々にしてやる気もない。というのも、公立図書館の館長は、本庁での出世レースに敗れた人が最後に追いやられるポストだったりするわけです。何もわかってないし何もしない館長が高禄を食む一方で、図書館の実質を現に担っている能力も意欲もある人たちが、単年度契約で最低賃金レベルの給料で働いている。どうしようもないクソ社会だというほかないです。

こんな状況を正当化できる唯一の理屈は「身分制だから」だけでしょう。つくづく思いますが、ロスジェネの苦境が物語っているのは、日本社会が「公正性」というものに対していかに無感覚かということです。

公正さを根本的に欠いた社会は、腐敗し没落する。経済も停滞する。だから、これからはもう海外に出稼ぎにでも行くしかなくなるという状況も絵空事ではないでしょう。そのときロスジェネはどうなるのか。日本語以外、何も話せないロスジェネが移民になって、海外で働けるはずもない……。

雨宮　確かに……。このままいったらもっとひどくなる未来予想図しか見えない。しかも、単身者が多い上に、子どももいない。

白井　これからの日本が国として展開していく方向がどういうものであれ、わかっているのは、ロスジェネの世代が権力を握り、政治や経済の舵取りを担っていくことです。そのイニシアチブを誰が握りますか、やっぱり勝ち組の人でしょう。

雨宮　間違いないですね。

白井　この層は強烈ですよ。優秀なだけに、生存者バイアスがすごく強い。

勝ち組ロスジェネは、いわゆる「安倍カルト」とも性質を異としていて、空虚なナショナリズムや「日本すごい教」に興味はありません。

ナショナリズムではなく、もっと苛烈なネオリベラリズム（新自由主義）。勝ち組のロスジェネが権力を握ると、これまで以上に強烈な自己責任論が蔓延するんじゃないかと思う。

雨宮　まったくその通りだと思います。ちなみに、白井さんが思うロスジェネ勝ち組の代表となりそうなキャラクターはどんな人でしょうか。ひろゆき氏とか？

白井　たしかにひろゆき氏はそうかもしれないですね。元大阪市長で弁護士の橋下徹氏も、ロスジェネ世代に近かったかな。あの人も苦労しているはずですが、いくつでしょう？

雨宮　あの人は1969年生まれなので、1972～82年生まれのロスジェネには含まれませんね。あと、ホリエモン（堀江貴文）はギリギリロスジェネで、「ZOZO」の創業者である前澤友作氏もロスジェネ。なんか自己責任論でイケイケでトリッキーな「経済的成功を収めた人」しかいない。

白井　そうそう、まさにトリッキー。社会学者・伊藤昌亮（いとうまさあき）さんの「ひろゆき分析」論文（『世界』2023年3月号「ひろゆき論」）が今話題になっている通り、そのトリッキーさゆえに一種のロールモデルになっているのだ、という趣旨のことを述べていて説得力があります。

しかし、みんながトリッキーなゲームに走ったら、社会は崩壊する。それに、トリッキーにのし上がるというのは、特殊な才能なので実はロールモデルにはなり得ないわけですよね。

ベーシックインカムの落とし穴

白井　これだけ人間が孤立している状況下で、福祉政策としてベーシックインカム（生活に必要最低限の現金を定期支給する最低限所得保障）のような話が出てきます。

ベーシックインカムの支持者は左派から新自由主義者まで幅広い。でも、僕はこの話に乗れないんです。確かにベーシックインカムが救いになる人たちはいるだろうけど、結局はここまで問題にしてきた人間の孤立を、ますますひどくしていくような気がします。

雨宮　私もそう思います。それなりにお金があれば、そのまま家にひきこもれるわけですし、孤立する人がこれまで以上に増える可能性はありますね。

白井　生活保護受給者を馬鹿にして「ナマポ（生保）」と呼ぶじゃないですか。なぜ、生活保護受給者がいじめられるのか。それは、受給者が嫉妬されているからです。「俺たちはこんなにギリギリのところで一生懸命生きているのに、あいつらは何もせず、お金を貰い、医療費もタダ。ふざけんな」。ようするに羨ましい。

ただし他方では、他人の助けにすがって生きているのではないのだということが、受給者を蔑む人たちの自己矜持の拠り所にもなっているわけです。

だから、生活保護受給者が幸せかと考えると、決してそうではない。むしろ心身ともに荒んでいる人のほうが多い。

雨宮　特に若い世代の生活保護利用者の自殺率は、そうでない人の数倍というデータもあります。

白井　人間には、自分の居場所が必要です。「自分は社会のお荷物でしかない」と思わされる人間は、絶対に幸福になれません。社会に対して、自分が何かを与えたいと考えるし、一方的にお金を貰うだけの状況には耐えられない。生活保護はそうした状況をつくり出しがちです。

ベーシックインカムについて危惧する点はここにあります。生活保護受給者と同じ心理的荒廃が普遍化してしまうのではないでしょうか。

ベーシックインカムは、勤労と収入を切り離すという意味で画期的なのですが、そのことによって人間の尊厳が奪われるのではないかと僕は危惧するのです。

雨宮　みんなが貰える形であれば生活保護ほどのスティグマ（stigma／負の烙印）はないでしょうが、懸念はとてもわかります。あと、ベーシックインカムが問題だと思うのは、それ以外の社会保障制度をなくすということとセットで語られがちなところで、これが進んでしまえば、れいわ新選組の舩後靖彦参議院議員や木村英子議員のような重度障害者は生きていけなくなってしまいます。そういう問題も孕んでいる。

白井　それから、給付できているうちは良いのかもしれませんが、何らかの理由でお金を配れなくなったらどうするのか。そのときにはもう人間の尊厳は失われた状態になっていて、すごく恐ろしい状況になる気がします。

そうならないためにも、できるだけ多くの人が所や居場所を得られなければいけない。そうしないと人間は精神的にきつくなるし、究極的には尊厳を保持できない。ベーシックインカムはお金の問題を解決できる手段たりうるかもしれませんが、それだけで万事解決するわけでないし、それがもたらすリスクも想定する必要があると思います。

雨宮　私は17年間困窮者支援の現場にいますが、こういう活動をしていると、「所持金ゼロ円になって支援団体に助けてもらう人たちは甘えている」などという意見をぶつけられることがあります。

白井　自己責任論。

雨宮　でも、実は逆なんです。彼らはとにかく自力でなんとかしようとして、ギリギリまで誰にも頼らずに頑張った結果の所持金ゼロ円なんです。

「頼れる人がいないなんておかしい」という人もいますが、家族も友人も貧困で頼れないという人も多い。今の社会は、金持ちの周りには金持ちしかいなくて、貧しい人の周りには貧しい人しかいないという社会です。格差社会とはそういうことです。

それに地方に仕事がなく、生まれ育った地元を離れて仕事のために各地を転々とするような生活では、人間関係をつくれません。労働者派遣法施行による雇用破壊は、長い時間をかけて、「困った時に頼れる人が誰もいない人」を膨大に生み出した。

それでも、リーマンショック後の「年越し派遣村」の時は、私も感動するくらい、世論は困窮者に対して同情的でした。

それから15年経った今、日本社会は完全に貧困に慣れ、麻痺しました。今や非正規や派遣で働いていた人がホームレス化したと聞いたところで「そういう社会だよね」「本人のせいだよね」と当たり前のこととして受け止める人が多い。その気持ちもわかります。そういう社会がおかしいと憤ったところで、何も変わらなかった。いくら怒っても現実が変わらないと、人は思考停止します。そして「自己責任だよね」と片付けたほうがいちいち葛藤しなくて済む。

白井　「自己責任」で結論づけると、それ以上考える必要がないですし。

雨宮　年越し派遣村の衝撃は、２００９年の政権交代の原動力になったはずです。それが今では、社会がひどい状況になればなるほど個人が「自己責任」とバッシングされ、政治を変える原動力にはなりません。

白井 ここ10年、20年のあいだに、国民世論が貧困の現実に悪い意味で慣れてしまったと感じます。例えば「ネットカフェ難民」も初めて話題になった時は、世間は衝撃をもって受け止めた。それが今や誰もネットカフェ難民の話をしません。でも実際にはいるわけです。

雨宮 「ネットカフェ難民」とわざわざ名指す必要もないくらい、都市部では普通の存在になった。

白井 貧困問題については、新しいワードが出てきてはそのつど話題にはなります。「ネットカフェ難民」だったり、「下流老人」だったり、次々に新しい言葉が出てくる。

しかし、それぞれの問題が解決されたわけではない。あっという間に忘れられてしまい、貧困者のリストが淡々と増えていくだけになっている。

そうなると貧困社会に対する感覚は麻痺して、「ひょっとすると、ショバ代を払うお金がある分、ネットカフェ難民はマシなのかもしれない」と受け止める人が増えてしまう。

ホームレス化しても「連帯」できない理由

白井 大阪で雨宮さんと木村真(まこと)さん（大阪府豊中市市議）と話したことを覚えていますか。「まったく同じ光景を目の当たりにした」と盛り上がったじゃないですか。僕は非常に印象深く記憶に残っているのです。

雨宮　はい、覚えています。

白井　木村さんは長年労働問題・争議の相談を受けているそうです。いわく、一昔前だと労働相談は、会社から不当な仕打ちを受けた人が、木村さんのところに相談にやって来るというのが典型だったそうです。そういった人たちは「会社にひと泡吹かせてやる！」と怒り狂っていて、元気が良かった。しかも、そうした相談者が数人集まったら、自然に友達になって、「あんたもひどい目に遭ったのか、一緒に頑張ろうぜ！」と連帯して盛り上がっていた。

ところが今の相談者は、完全に打ちひしがれていて、元気がない。同じ境遇の人たちが集まっても、お互いにまったく交流もしない。お互いに話すのではなく、個別に木村さんに相談するというのです。

雨宮　私も相談会などの現場で同じような光景を目にします。ずっと非正規で働いていてコロナ禍で初めてホームレス化したなど同じような境遇の人たちがたくさんいるのに、横のつながりは生まれない。みんな支援者としか話さない。ファミレスとかで集まっても、お互いに目も合わせず、話もしない。

なんでだろうとずっと思っていたんですが、最近、精神科医の斎藤環（さいとうたまき）さんと話していて謎が解けました。先にお話しした、加藤智大の死刑執行を受けて中島岳志さんと作っている対談本

（第3章参照）で、斎藤環さんも交えて3人で鼎談（ていだん）したんです。

そこで、ひきこもり当事者はなぜ連帯しないのかという話題になった時に斎藤さんが言ったのは、彼らはお互いに軽蔑し合っていて、みんながみんな、その辺のひきこもりと一緒にされたくないと思っている、だから連帯なんかしないいんだ、と。それを聞いた時、まさにこれだと思いました。

困窮者支援の現場に来る人たちも、お互いを心の中で軽蔑し合っているんだと思います。「自分は派遣で必死で働いてきて、たまたま不運が重なって野宿になっただけで、怠け者のこいつらとは違う」という感覚でしょうか。

そう思うと、すべてに納得がいくんですが、それだと絶対に連帯なんてできません。軽蔑している相手と手を組むなんてできないし、それぞれの「あいつらとは違う」というプライドが、かろうじて彼らを支えるアイデンティティにもなっている。

白井　「俺はものすごく運が悪くて、ここまで落ちぶれたんだ」「同じ炊き出しの列に並んでいる奴は怠けているから、こうなった。自分とは違う」と、みんながお互いにそう考えているというのは、地獄ですね。

雨宮　誰も連帯できない関係性は、権力側からすればすごく都合がいいですよね。私はずっとロスジェネの連帯がないことに歯がゆさを感じていて、でもホームレス状態とかになったらさすがにみんなキレて連帯が生まれるかも、と思っていました。実際、山谷（さんや）（東京都台東区、通称「ドヤ街」）なんかの現場では日雇い労働者たちの連帯があったし、今もそれは継承されている部分があります。

ところが、ここ数年でロスジェネには無理なようだと気づき始めました。彼ら自身が強烈な自己責任論者だからこそ、困窮している他者を「自己責任」だと思う。

この年末年始も支援の現場にいましたが、大晦日の前日、衝撃的な光景を見ました。相談会をしていて、路上で会った男性がいたんです。11月から野宿になり、この数日間何も食べていないということで、食料を渡して体を休めてもらうためネットカフェに案内したんです。そこには、ここで生活していると思われる人たちが大勢いました。年末で街はイルミネーションで華やかで、あと2日で元日という時に、そこしかいられる場がない人たちがいる。若い男性が多かったんです。

彼らも同じ場にいても、決して連帯しないでしょう。これまで、ネットカフェで暮らす多くの人たちから話を聞いてきましたが、驚いたのは、1年近く寝泊まりしていて、毎日顔を合わせる人がいても、目も合わせず挨拶もしないということです。

お互い、自分の境遇に対する恥の意識があってのことなのかもしれませんが、普通だったら顔見知りになるほど会っていても知らないふり。

東日本大震災が起きた時も同じだったそうです。東京でもすごく揺れて余震が続いたあの日も、その人のいたネットカフェでは誰も一言も話さなかったと。あれだけのことがあっても、誰かに話しかけたりしない。あの震災で、それまで関わりのなかった隣近所の人と初めて話したという人は多くいましたが、ネットカフェでは関わりは生まれない。彼ら彼女らの孤立を象徴するような話だと思いました。

白井　そうするとやはり、大事なのは自己責任論からの解放ですね。たぶん連帯できない理由の1つが、自己肯定できないことなのでしょう。「自分の苦境は自分がダメなせいだ」という前提があって、「だけど、隣のあいつはもっとダメな奴だ」と考えることでなけなしの自己肯定感をどうにか確保する、そんな心理があるのでしょう。

その意味で、前述（第3章参照）の塩見さんはやはり偉かった。「それはお前のせいじゃない」とほとんど無根拠に断定される経験を与えていた。そんな言葉が救いになったのは、根本的な自己肯定感を与えるものだったからなのでしょう。自分の価値を認めることができる者同士では、連帯が生じうるのではないでしょうか。

団塊の世代はなぜ連帯できたのか？

白井　ロスジェネ問題は、どうしてこんな暗い話しか出てこないんだろう。

雨宮　いい話が1つもありませんね（笑）。でも、上の世代との連帯はできそうじゃないですか？団塊の世代は連帯が大好きだから。

白井　そうですね。我々くらいの世代から社会的連帯ができない感じになってきたのは、なぜなんでしょう。

　下の世代を見ていると、もっと状況はひどくなっていると感じます。例えば、大学生を見ていると、ゼミで一緒になっても自然に仲良くならなかったりする。

雨宮　ああ、なんとなくわかります。ただ、今の若い世代には物心ついた時からSNSがある。それは時にツイッターデモなどの形で社会に物申す連帯になる場合もありますが、炎上の危険も知っているし、誰に何を言われるかわからないという恐怖もある。

　私は見ませんが、例えばバンギャ（第２章参照）とかジャニオタ（ジャニーズ事務所所属タレントのファン、ジャニーズオタク）とか、なんらかのジャンルのファンが集(つど)う掲示板とかがありますよね。そこがファン同士の相互監視の場になっていて、「今日の○○のライブであいつはどうだった」とか書いてある。その中で誰かがむちゃくちゃ悪く言われていることもある。

　そういうのを見ると、好きなバンドのライブに出かけても、誰かに監視されている気がしてしまうでしょうね。自分のSNSも監視されているかもしれない。そういうことが若い世代の基本になっている。

白井　コミュ障（コミュニケーション障害）も、どんどん増加しています。人間と人間の関係のつくり方が、ロスジェネ世代から壊れてきて、その壊れ方がますますひどくなってきた。連帯の前提として、そこをなんとか再建しないといけないです。

雨宮　そうですね。今思ったんですが、団塊の世代が連帯できたのは、インターネットもSNSもなく、固定電話しかなかったからかもしれない（笑）。

白井　なるほど（笑）。

雨宮　学生運動華やかなりし時代にSNSがあったら、情報ダダ漏れや炎上合戦で「全共闘」なんて一瞬で壊れるんじゃないですか？

白井　知人の団塊おじさんは、「悪口は本人の目の前で言うもの。誰も陰で悪口は言わない」と言ってました。

雨宮　いやいや、それがすごいです。「誰も自分の悪口を言わない」という相手への信頼感が信じられない。

白井　悪口を言われても、気にしない世代かもしれないし、団塊は。

雨宮　だとしたらメンタルが強いのか、鈍感なのか。でも10代だと無理ですよ。「みんなが私を馬鹿にしている」と思い込むと、それが人間全体への恐怖心になってしまう。

白井　金間大介（かなまだいすけ）さん（金沢大学教授、東京大学未来ビジョン研究センター客員教授）が書いた『先生、どうか皆（みんな）の前でほめないで下さい　いい子症候群の若者たち』（東洋経済新報社、2022年）という若者論の本が話題になっています。僕も読みましたが、同業者（大学教員）として、非常に納得すると同時に、恐ろしくもなりました。

要するに、現代の若者がどれほど縮こまった精神状態にあるのかを分析しているのです。「みんな一緒」というような日本人の欠点と見なされてきた特徴が、若年層においてものすごく顕著に表われていることなんです。精神状況はロスジェネ世代よりもさらにずっと悪くなっている。いよいよ過剰になった「同調」はもちろん連帯ではない。竹中労（たけなかろう）（ルポライター、アナキスト）の有名な言葉、「人は、弱いから群れるのではない、群れるから弱くなるのだ」をまさに地で行く感じで、みんなで弱くなっています。

ですから、いかにして個を確立するのか、というようなことを今さら言いたくなる状況がある。古い日本の映画を観ると、学生運動の活動家が出てきて「私たちに必要なのは健全なエゴイズムの確立であって云々（うんぬん）」なんていうセリフを吐いている。本当に嫌になりますね。一体何十年同じことを言っているのだろう、と。

国境を超え、貧乏人で連帯す！

白井　先ほど話した知人の団塊おじさんから先日、こう訊（き）かれたんです。「ロスジェネは同世代で連帯しないのか？」

はっきり言うと、僕は同年代に対してなんの評価もしていません。同世代だから仲良くできる、連帯できる、「同じ空気を吸った仲間だよね」という気持ちはまったくありません。

雨宮　辛辣（しんらつ）ですね（笑）。

白井　だって、冷笑系言論人としている面々を見ると、気持ち悪いじゃないですか。
雨宮　私は同世代に対して、「同じ貧乏くじを引いた世代だよね」という共感がありますが、勝ち組ロスジェネからは「お前らと一緒にするな」という冷淡さも感じます。「ロスジェネとか言って、世代を言い訳にしてる奴ら」とか思われてそう。
白井　僕らの世代で起きた大きな変化は何なのでしょうね。
　ミソジニーの問題（第2章参照）が新しいかたちで出てきているように見えます。新しいかたちだというのは、男の圧倒的な敗北を前提とするものだからです。
　一部のオタクはミソジニーをこじらせて、「女は馬鹿だ」と叫んでいるわけでしょう。でも他方では二次元の萌えアニメが大好きで、特定の女性表象に萌えていないと生きていけない。自分が馬鹿にしきっているものに依存しまくりで、しかも生身の女性には対峙できない。自分に都合よくキャラクター化されたものしか、相手にできない。
　もうどこから見ても惨めです。「もう男は終わったんだな」としか思えない。歴史上、ここまで男の地位が下がった、それも存在論的な意味においてここまで落ちたことはないです。これはロスジェネ世代より以降の新しい現象だと考えていますが、いかがでしょうか。
雨宮　ミソジニーをこじらせている男性たちは本当に残念です。ただ、アップデートしようとしている男性も同世代とそれ以下にはたくさんいて、どんどん男性の中でも差が開いていっているのを感じます。

白井　ただ、これはアメリカのトランプ現象なんかに関しても言われた共通のメカニズムなんですけど、この男の劣位を基礎としている新しいミソジニーにレトリックを与えたのは左派だったということを指摘しておくべきかと思います。いわゆるカルチュラル・レフト（ポストモダンの思想から影響を受け、文化的次元への関心が高い左翼）によるアイデンティティ・ポリティクス（人種、民族、ジェンダー、障害などのアイデンティティに基づく集団の利益を代弁する政治活動）ですね。マイノリティであることそれ自体に権利要求の根拠があるなら、産業構造の転換によって経済的に没落して弱者化した男性にもその弱者性を高唱する権利があるではないか、と。

アイデンティティ・ポリティクスは、今、北米を中心に激しい社会分断の一因になっていますが、日本にも同様の構図が表われているわけです。カルチュラル・レフトそのものが、いわゆる政治経済的次元での左派の敗北の代償として表われたものだった。その延長にあるアイデンティティ・ポリティクスは、連帯ではなく分断をもたらすものだった。

アイデンティティというものは、人間集団を個別的な属性に従って細分化しがちなものであって、分断を促進します。

雨宮　そういう流れがあるんですね。ちなみに私が今、連帯について希望を持っているのは、ここ数年、アジアで「貧乏人連帯」のようなものが始まってることです。日本で安保法制が出てきた2015年頃から、日本、韓国、台湾、香港などの活動家やアンダーグラウンド文化の担い手、反原発運動をしている人やアーティストたちが連帯を始めるようになった。国同士は仲が悪くてもアジアの有象無象でつながろうというムーブメントです。

仕掛け人は東京・高円寺で3・11後に「原発やめろデモ」を企画した松本哉さんです。彼も1974年生まれのロスジェネですが、法政大学在学中に「法政の貧乏くささを守る会」を結成。貧乏くささを守るためにキャンパスのこたつでひたすら鍋をする「こたつ闘争」などを繰り広げ、その後は「貧乏人大反乱集団」を結成。文字通り貧乏人で大反乱を繰り返してきました。3・11前は「家賃をタダにしろ一揆」「俺のチャリ返せデモ」などの笑えるデモを開催し、若者に絶大な人気を誇っていました。

そんな彼の本業は高円寺のリサイクルショップ「素人の乱」の店長なのですが、「素人の乱」は高円寺界隈の愉快な貧乏人たちのコミュニティを指す言葉でもあります。そうして3・11後、デモのノウハウを豊富に持つ彼らが「原発やめろデモ」を日本でいち早く開催して、1万5000人が集まった。3・11後に日本中で始まった脱原発デモの起爆剤になったと言われています。

そんな彼が2008年に出した『貧乏人の逆襲！　タダで生きる方法』（筑摩書房）という本が韓国と台湾で翻訳出版され、韓国でベストセラーになりました。それで韓国、台湾から松本さんに会いに来る人が増えて、そんな人たちを受け入れるため「マヌケゲストハウス」という宿泊所を開設。世界中からアンダーグラウンド文化の担い手やさまざまな活動家などが来るようになりました。それだけでなく、「高円寺に来ればなんとかなると聞いた」と、一文無しのただの貧乏外国人も大量に来るようになったんです（笑）。

そうして日本で出会った人を訪ねたりして松本さんはアジア各地を旅するようになり、言葉の壁を酒の力で突破してアジア中に新たな友達をつくっていきます。その成果が実現したのが2016年で、松本さんがアジア各国でつくった友人たちに、高円寺に集まろうと呼び寄せました。

そうしたら韓国、台湾、香港、中国、インドネシアなどなどいろんな国から200人くらいが押し寄せてきて、連日、高円寺駅前で路上宴会が開かれたんです。それは1週間ほど続き、「NO LIMIT 東京自治区」（2016年9月11日～17日）と名付けられ、連日イベントやライヴが行われて大交流しました。

初日には「アジア永久平和デモ」をし、毎日一緒に遊びまくり、結局、10人以上が飲みすぎて帰りの飛行機に乗り遅れました（笑）。これがきっかけで出会って国際結婚したカップルもいます。あまりに楽しい国際交流に味をしめて、翌年には韓国・ソウルで「NO LIMIT ソウル自治区」が、その翌年にはジャカルタで「NO LIMIT ジャカルタ自治区」が開催されています。私は韓国には行きましたが、ジャカルタには行けませんでした。

とにかく、こういう形でアジアの20～40代くらいの有象無象の貧乏人たちが、「国のトップがいがみあってても民間人が仲良くなろう」と積極的に連帯してるんです。

白井　それは面白い。松本哉さんはロスジェネ世代のスターの1人ですが、この時代にドンドンと連帯の関係を築いている。しかも国際的に。

雨宮　この3年はコロナで中断していましたが、2022年、国境が開いた瞬間に松本さんは韓国、台湾、香港に行きました。ちなみに白井さんは、中国で「寝そべり族」という人たちが生まれたのをご存じですか。

白井　はい。

雨宮　競争の激しい中国で、2021年頃から注目され始めたムーブメントです。結婚もせず子どももマンションも車も持たずなるべく消費せず、最低限の暮らしをする若者たちが増えていて、「寝そべり族」と呼ばれて人気になり、中国当局を不安にさせているそうです。

その少し前まで中国の若者を表わす言葉は「996」でした。朝9時から夜9時まで週6日働くという長時間労働を指す言葉です。そんな働き方に疲れ果てて寝そべり始めた。

そんな寝そべり族は誰がいつ始めたか、すべてが謎なんですが、21年、中国のとある地方で『寝そべり主義者宣言』という文書が発表されて中国各地でばらまかれ始めたんです。中国にも友人がたくさんいる松本さんはそれを入手して日本語に翻訳（『寝そべり主義者宣言　日本語版』素人の乱5号店、2022年）して売り始めたら、一般流通していないのに、今、2300部以上売れている。

ちなみに1990年代、日本ではなるべく働かないという生き方を模索した「だめ連」が注目されましたが、寝そべり族はまさに「中国版だめ連」です。だめ連も「素人の乱」界隈によく出没します。

白井　中国にも「だめ連」があるんですね。

雨宮　満を持して登場しました。韓国にも「だめ連」みたいなグループがあります。「ペクス連帯」と呼ばれていて、コロナ前はよく高円寺に来ていました。「ペクス」は「ニート」の意味だそうです。シンガポールだと「ＢＢＡ」という寝そべりに近いムーブメントもあるようで、アジアのあらゆるところで、「だめ連」らしきものが自然発生してきている。

そういう人たちがつながって、「緊張感が高まるアジアのなかで、貧乏人のまぬけな力で連帯しよう」と盛り上がり、交流を続けてきた。それが「ＮＯ　ＬＩＭＩＴ」と呼ばれる動きで、今年（２０２３年）９月にも高円寺近辺で何かが起こりそうということは予言しておきます（笑）。

白井　面白いですね。必然的でもあります。韓国も中国も、都市部の資本主義化は日本をも上回る激しさなのでしょう。とすれば、「だめ連」を生んだ疎外の構造が当然できてくるわけで、それへの抵抗運動も出てくる。そちらも松本哉さんがキーマンなんですか。

雨宮　「だめ連」はぺぺ長谷川さんと神長恒一さんが１９９２年に結成して30年以上、できるだけ働かず、とにかく交流しまくるという活動を続けていたのですが、今年2月、ぺぺ長谷川さんが亡くなってしまい、高円寺は偉大なレジェンドを失った状態です。ただ、松本さんが頑張っているので。彼はなぜか今、中国語がペラペラになってます（笑）。

中国で人気の柄谷行人

雨宮　「ＮＯ ＬＩＭＩＴ」で出会った中国の若者たちは、哲学者の柄谷行人の本を、自分たちで中国訳にして地下出版していました。

白井　へぇ！　柄谷さんのどの本が出ているんですか。

雨宮　どの本かはわからないんですが、中国で柄谷さんの人気はすごいみたいですね。その海賊版を作っているのが、中国の20代の女の子たち。そういう謎の流れが生まれている。

白井　「中国での柄谷人気はすごい」と僕も聞いています。アカデミズムからの支持もあって、中国の有力なアカデミシャンによって注目され、紹介されてきた。しかし、海賊版が出ているとは知りませんでした。

柄谷さんの理論が中国で注目されてきた理由は、もちろんそれ自体の面白さ・価値であるわけですが、政治状況もあるようです。というのは、依然として中国の国家イデオロギーはマルクス・レーニン主義です。中国が実質的に資本主義化して、いくら金儲けに走っていても、あくまでマルクス主義の表看板は外していない。

他方で、中国のアカデミズムの住人は、政権批判をストレートにすることができない。それは非常に危険です。そこで柄谷さんの理論は、使いやすいわけです。柄谷理論は「マルクスは正しい！」からスタートできるので、公式イデオロギーと齟齬(そご)をきたしにくいわけです。

柄谷さんは「バーグルエン哲学・文化賞」を受賞しましたが、選考委員には中国の知識人が多数入っていて、彼らの推薦がたぶんあったはずです。柄谷理論を推すことで、中国のアカデミシャンは、アジアでも一級の思想が紡がれていることをアピールできた。

雨宮 そうなると次は中国で、白井さんの本が読まれるかもしれませんね。

白井 どうでしょう（笑）。「『永続敗戦論』を翻訳したい」と中国の出版社から打診は受けましたが。

雨宮 出たんですか！

白井 それが結局、流れちゃってね。領土問題、尖閣諸島問題に関して、僕が中国の現政権と違うことを言っていると判断されたらしい。僕はまったく中国批判をしていないのに、「この本は中国では無理」となってしまった。

その経緯がよくわからないんです。習近平政権の言論統制の締め付けが、それだけ厳しくなったのかというと、それがよくわからない。この程度のものを高位の誰かがわざわざ禁止するとも思えません。だとすると、おそらく習政権への忖度(そんたく)が働いたのではないか。

雨宮 それは残念……。そういえばこのたび、私の『非正規・単身・アラフォー女性 「失われた世代」の絶望と希望』（光文社新書、2018年）という本が中国で出版されることになりました。ロスジェネ女性の厳しさを取材したものですが、やはり、日本と中国はこの辺の状況も似ているようですね。「NO LIMIT」の時も、韓国、中国、台湾、香港の人と話すと、だいたいロスジェネの悩みと同じで、非正規、不安定雇用の問題に直面していました。

ちなみに「NO LIMIT」に来る中国人は柄谷さんを読んでいるのに、彼らを迎える日本の私たちはおそらく誰も柄谷さんの本を読んでいない（笑）。でも柄谷さんは松本哉さんが大好きで、素人の乱がやっている「なんとかバー」という店では一日店長をしてくれたこともあります。

その日のメニュー表にはビールとかウーロンハイに混じって「難しい話　千円」というお品書きがありました（笑）。誰も注文しなかったと思いますが。もう10年以上前ですが、その頃、柄谷さんは私たちの間で「素人の乱の期待の大型新人」と呼ばれていました（笑）。

白井　その模様の写真を見て僕は爆笑しました（笑）。またその時の柄谷さんが実に楽しそうなんですね。

「寝そべり族」や「難民・移民フェス」に見る連帯の可能性

白井　アジア圏での「貧乏人連帯」の話がありましたが、アメリカやヨーロッパの人たちと、そうした連帯は生じてきていますか。
雨宮　松本哉さんは、以前はヨーロッパにもたくさん行ってましたね。ドイツなんかだと活動家がビルを丸ごと占拠してたりするそうです。デモも盛んですし。アメリカやヨーロッパからも松本さんの噂を聞きつけて高円寺に来る人はたくさんいます。

ちなみに中国の『寝そべり主義者宣言』は英語に翻訳されて、アメリカでも流通するそうです。地下出版的なものでしょうが。

白井 『寝そべり主義者宣言』というネーミングがいいですね。

雨宮 「寝そべる」だけではなく、アジア各地の人たちは、みんな戦う時はむっちゃ戦います。例えば2019年、香港では、犯罪容疑者の中国本土への引き渡しを可能にする「逃亡犯条例」改正に反対する100万人デモが起こり、激しく弾圧されましたが、松本哉さんら数人はすぐに現地に乗り込みました。

あの時のデモは、スマホを駆使する情報戦だったようです。誰が中心で、どういう人間関係があってということがバレないように、いろんなテクニックが駆使されていた。どういうノウハウかはここでは言えませんが、松本さんたちは「いつか日本も香港のようになる可能性があるから」という危機感もあって「香港に学ぼう」という動機で現地に行ったようです。

白井 それは先駆的な視点ですね。僕も『寝そべり主義者宣言』は読みましたが、かなりラジカルであり戦闘的です。緩くサボタージュしているという感じではない。経済成長と富裕化が伝えられる中国から、あれほど強硬な資本主義批判が出てきていることは驚きであり、面白い現象です。

ところで貧困層の問題は、何も日本人だけの問題ではありません。来日するベトナム人にしろ、難民・移民の人たちの貧困問題も深刻です。

雨宮　困窮者支援の現場でも、この3年、難民・移民の人たちからの相談が激増しています。私は「反貧困ネットワーク」の世話人をやっていますが、コロナ禍で住まいを失う人が増えたため、反貧困ネットワークではこの3年でシェルターを25室、開設しました。

今、25世帯が入っていますが、そのうち12世帯、15人が外国人です。そのうち4人が路上からの保護でした。コロナ禍でホームレス化する外国人がすごく増えているんです。その理由は、コロナ前は同国人のコミュニティに支えられていたものの、コロナで支えるほうも持たなくなったこと。

もう1つ、入管の施設から一時的に解放される「仮放免」の人が2倍に増えたことです。入管の施設内が密にならないようどんどん出されたのではと言われています。しかし、仮放免の人は就労を禁じられ、福祉の対象にもならないのであっという間に困窮する。それで支援団体に相談が殺到する。

白井　はい。スリランカ国籍のウィシュマさんが、収容中の名古屋出入国在留管理局で亡くなった事件（2021年3月6日）であらためて注目されています。難民・移民については、入管法の問題が大きいのでしょうね。

雨宮　本当にそうです。ちなみに日本人が困窮した場合、生活保護の申請をすればいい。支援団体の支援も金銭的なものはそこで終わりです。

しかし、外国人は「日本国民」を対象とした生活保護から除外されています。一部が「準用」の対象となっていますが、それは適法に滞在し、活動に制限を受けない永住者、定住者等の在留資格を持つ人だけ。この国の約半分の外国人は対象外です。仮放免の人ももちろん対象外。

白井　働けないということは、その人たちは支援団体の援助によって生きるほかないわけですか。

雨宮　そうです。多くが働ける世代なので就労さえできればいいんですが、仮放免だと就労は禁止。働いたら入管に収容される可能性もある。最悪、強制送還の危険もあります。命の危険があるから日本に逃れているのに、です。しかも医療へのアクセスも難しい。健康保険にも入れないので医療費は全額自己負担。100％ならまだマシで、400％とられることもあります。

白井　あまりに過酷だ。支援団体が生活費を支給するにしても、資金が必要でしょう。そのお金はどう調達しているんですか。

雨宮　ほとんど寄付金からです。このコロナ禍で、「反貧困ネットワーク」「北関東医療相談会」「移住者と連帯する全国ネットワーク」の3団体が主に外国人支援をしているんですが、2年半で外国人支援に使った額は、1億7000万円以上。延べ1万人を支援しています。約7割が生活費で、シェルター・家賃で18％、医療費が14％。民間の支援団体が給付する額ではありません。外国人への公助がまったくないから、民間が必死で支援している。

白井　さきほど連帯の話が出ましたが、日本国内で移民・難民といった外国人の連携は始まっていないんですか。

雨宮　今まさにそれができつつあります。例えば２０２２年から当事者と支援者たちによる「難民・移民フェス」（２０２２年4月に練馬区で、同11月に川口市で開催）が始まりました。難民・移民の方々が作った各国の料理や手芸品、アクセサリーなどのチャリティ販売をしたりして、難民・移民の人々と交流する場です。

最近は高円寺への出張フェスもやっていて、２０２２年12月にはミャンマーやアフリカの方々に料理を出してもらい、大好評でした。そうした活動を通して、日本人とあらゆる国の人たちが連帯を深めています。難民・移民の人たちの中には、難民認定もされず、働くこともできず、困窮を極めて心を病んでしまう人もいるので、そういう人たちが社会参加し、日本社会の人々と交流していくことが重要だと思います。

２００９年の政権交代はなんだったのか

雨宮　２００９年7月の衆議院選挙で、政権が自民党から民主党に交代しました。あの政権交代で民主党に期待したロスジェネは多いと思います。

白井　それなりにしたと思います。「みんなで選挙ボランティアに行くぞ！」という感じではなかったけれど、それまでの閉塞感を破ってくれる期待はありました。雨宮さんは期待しましたか？

雨宮　はい。私は2006年に運動に参加し、07年に『生きさせろ！　難民化する若者たち』（太田出版）という、ロスジェネなどの苦境を描いたルポを出しました。その頃からフリーターやロスジェネの運動が盛り上がり始めました。

組織動員もなく、フリーター個人の集まりでどんどんフリーターの組合に入る人が増えた。そうして2008年のプレカリアートメーデーには、なんの動員もなく1000人が参加した。この年の6月に秋葉原で無差別殺傷事件（6月8日）が起き、9月に「リーマンショック」が起き、年末が「年越し派遣村」です。

白井　ちょうどその時期ですか。

雨宮　年末年始は「年越し派遣村」がマスコミの話題を独占して、年が明けたら自民党議員の言うことがガラッと変わっていました。それまで「自己責任」と言っていたのが「セーフティネットが必要」と言い出した。でも、もう手遅れで、自民党の支持率は下がるばかり。

その年（2009年）の夏に起きたのが政権交代です。自分たちが「生きさせろ！」と声を上げたことが政権交代の原動力の1つになった――、運動に参加していたロスジェネの中には、そう口にする人も多かったです。みんな民主党政権には多大な期待を寄せていました。私もです。

白井　２００９年の政権交代当時の僕の感覚を思い出すと、おおよそこういうことを考えていました。

小泉政権（２００１年4月〜06年9月）以来のネオリベラリズムからの転換が課題になっていた。その時、どんなアンチテーゼを出していくのか。欧米の事情を見渡すと、イギリスのブレア労働党政権のニューレイバー、ドイツのシュレーダー社会民主党政権、アメリカのクリントン民主党政権といった具合に、社会民主主義のアップデート版が１９９０年代に出てきていました。

バラマキだと批判されるに至った旧来の社会民主主義を脱して、新しい産業構造に即した再分配の政策をやるのが「第三の道」（ブレア政権）である、と打ち出した。資本主義的効率性と社会主義的公正性を両立させることを標榜（ひょうぼう）したわけですね。これらの社会民主主義の再編は、２００９年当時においてすでに、結局は新自由主義との妥協にすぎなかった、いや降伏宣言にほかならなかった、と相当に批判を受けていました。

しかし、僕の見るところ、日本にはその「第三の道」すら存在していなかった。今も存在しませんが。だから、欠点だらけとわかってはいるものの、まずは民主党政権が「第三の道」くらいはやらないといけないだろう、と。日本で「第三の道」すらできない理由は、自民党支配の下で官界・財界にもそうした発想がないからです。ですから、「政治主導」を標榜した民主党政権が官界と財界をどれくらい変えられるか、それを注目していました。

それから、権力の全般的な民主化や透明化ですね。人質司法の問題や公安警察の改革、官房機密費の改革なども期待していました。しかし、それらのうち実現したのは、記者クラブ改革と沖縄返還時（1972年）の密約が少し出てきたくらい。しかも、それらも不可逆的な仕方によるものではなかったから、政権が自民党に戻ったらすぐに元の木阿弥(もくあみ)、さらにはもっとひどい状態へとなってしまいました。

もう1つ考えていたのは、今述べたことを民主党政権がやり遂げるためには、自民党を解体なり再起不能なりにまで追い込まないと無理だろう、ということでした。なぜなら、絶対に権力構造を変えたくない日本の官界と財界の総意の結晶が自民党という権力だからです。自民党を壊滅させるというところまでやれなければ、やがてカウンター攻撃をくらって、民主党のほうが壊滅させられるだろう、と予感していましたね。この予想はピッタリ当たったわけですが。

印象深い記憶があります。当時、早稲田の政経学部で非常勤講師をやっていて、学生と飲み会をやりました。政権交代した直後でしたが、わりによく勉強している学生にかぎって、「どうせロクなことにならない」と冷め切っていました。「政治が変わったほうがいいだろ？」と僕が言ったら、「たぶんもっとひどくなる。自民党の石破（茂）あたりが首相になるのが一番良かった」と反論されました。

雨宮　ええ！　そうなんですか。

白井　はい、当時は僕も驚いた。ロスジェネ世代のずっと下が、そうした現状維持志向の考えを持っている。しかし、彼らの意見には当たっているところもありますね。民主党の議員など、経験不足の自民党議員にすぎない、という見方です。その通り、という面々も掃いて捨てるほどいるのですから。

雨宮 そうか……。ちなみに私が民主党に期待したのは、さまざまな活動をしてきた人たちがどんどん政府の中に入っていったからです。例えば当時「反貧困ネットワーク」事務局長で、派遣村の「村長」も務め、ずっと一緒に運動してきた湯浅誠さんが内閣府参与になりました。もう1人、自殺防止の活動をしている「自殺対策支援センター　ライフリンク」の清水康之さんも内閣府参与に任命された。

私も当時の長妻昭厚労大臣に任命されて、「ナショナル・ミニマム研究会」という厚労省の委員会の委員になりました。貧困問題、ホームレス問題、生活保護の問題などについて議論しました。

ある意味で、私たちの政策提言や活動を無視してきた自民党政権とは様変わりしたんです。分厚い壁がなくなって、自分たちの声が届くようになり始めた。「本当にこれで変わるかもしれない」と期待しました。

白井 政府委員になって、どんな提言をされたんですか。政策として採用されたり、実現できた提言があったとか。

雨宮 私が「ナショナル・ミニマム研究会」の委員としてやったことで何か変わったということ

とはありませんが、ホームレスの定義を現在の「都市公園、河川、道路、駅舎その他の施設を故なく起居の場とし、日常生活を営んでいる者」ではなく、ネットカフェ生活者や友人宅への居候なども含めた広義のものにするよう求めたことは多少、注目されました。

あとは反貧困運動が求めていたことが民主党政権になって実現したということはあります。1つは貧困率を発表すること。日本の貧困率は、1960年代以降は発表されていなかったのが、2009年、やっと相対的貧困率を政府が発表した。実態がわからなければ対策のしようがないから貧困率の発表を、と訴えていたことが実現したんです。

もう1つは生活保護の母子加算の復活。これも反貧困運動がずっと求めていたことでした。「自民党政権の時は国会の外で騒ぐことしかできなかったけれど、これからは国会の内側から変えていける」、反貧困運動に関わる人たちは誰もがそう期待したと思います。

白井　なるほど。

雨宮　私たち運動する側にも課題が残りました。民主党政権になったことで、「根拠なき一服感」が漂ったんです。それまでは政策提言をし、集会をし、ネットカフェ難民など困窮者支援をし、メディアに出て訴え、派遣村が開催され、と怒濤(どとう)の活動をしてきたんです。しかし、政権交代によって、運動にひと息ついたようなムードが漂いました。「もう大丈夫だろう」みたいな感じで。

そんな時です、東日本大震災が起きたのは。

原発事故の衝撃と病的なる右傾化

白井　２００９年の政権交代に関することで、印象に残っていることがあります。

僕は当時、大学の非常勤講師を掛け持ちしていて、非正規労働者、プレカリアート状態でした。この時、民主党政権が非正規雇用者の有期雇用無期転換の法整備（２０１２年の労働契約法改正）をしました。これが最悪の法律でした。

大学の側が非常勤講師全員を専任にすることは、経営的に考えて到底できません。それに大学の非常勤講師は、世の中全体から見ると特殊な仕事です。だから、特別な規定がないと、法律を作っても雇用を安定させるという法の目的に実効性を与えられません。当時の政権が厚労省と文科省と調整して、どう実効性のある法律にしていくのだろうとその推移を見守っていたら、政府は何もしない。

それでどういう結果になったか。この法律の施行以後、４年目に大学側が雇用を打ち切るようになった。それ以上雇うと、そのポスト、この場合特定の授業を担当する非常勤講師としてずっと雇い続ける義務が法的に生じてしまう。だから大学側は予防的に、４年で雇用を打ち切ってしまう。

こうして実効性のない法律を作ったがために、ただでさえ不安定で低給与を強いられている非常勤の立場が、より一層不安定なものになったわけです。こういうところが本当に、民主党政権のダメなところ。

雨宮 確かにあの法律は問題が多かった。

白井 こんな法律を作ったら何が起こるか想像できないからダメ。要するに、高学歴ワーキングプアの窮状を緩和・解消するための何のグランドプランもなく、有期雇用の無期転換だけを法整備するから、「4年で雇い止めにするしかない」と雇用する大学側は受け止めたのです。そういうことは容易に想像がつくはずなのに、民主党の政治家はできなかった。

もちろん悪いのは政府だけではなく、大学側にも非正規雇用の教員の待遇をどう改善するのか、という発想は皆無だった。だから、大学の側から政府に働きかけて調整しようとする動きもありませんでした。

雨宮 そうですね。ただ、いつも思うのは東日本大震災が起きなかったらどうなっていただろうということです。

当時の菅政権（2010年6月～11年9月）が、震災対応に失敗した面はあったと思います。ですがもしあの時、自民党政権だったら、もっと恐ろしいことになっていたと思いませんか。

白井 同感ですね。菅直人氏の原発事故対応、とりわけ福島第一原発を訪問（2011年3月12日）したことはずいぶん非難されてきましたが、僕はあれは正しかったと思います。東電が責任逃れに汲々とするばかりで実情が全然伝えられない状況下では、自分の目で見に行くしかない、と考えたのは当然だと思います。自民党政権だったならどうなっていたか。決然と振る舞うことができたとは到底思えません。

しかし、それでもやはり菅直人と民主党の対応は論外だったと思います。なぜ、彼らは東京電力という会社を潰さなかったのか。なぜ脱原発の方針を不可逆的なものとして定めなかったのか。それから、あの事故がどれほど深刻なものだったのか、いくつもの好運な偶然が重なって東日本壊滅という状況を避けることができたことを国民に伝えていないこと。

これら事故処理における根本的な失敗は、民主党政権の重大な瑕疵（かし）として記憶に刻まれなければならないですね。

雨宮　震災後のごたごたがいろんなことをストップさせたし、政権が自民党に戻ってしまう原動力になった。私はそう考えています。

白井　それを選んだのは国民、有権者でもあるわけです。震災と原発事故のあと、国民は「平和と繁栄」の夢の中でまどろみ続けさせてくれる人を選んだ。それが安倍晋三です。安倍と自民党を権力の座に就けることを国民が選んだ。それが２０１２年体制の固定化（２０１２年12月～20年９月の安倍政権）につながっていく。

雨宮　選挙は、勝ち馬に乗りたい人が勝てそうな候補に投票するような面もありますよね。「死に票」にはしたくないので。２００９年の衆議院選挙で民主党に投票した人が、２０１２年の選挙では自民党に投票したこともあったはず。そういう空気が有権者の側にあったと思います。

白井　２０１２年の総選挙の争点では、ロスジェネや貧困層の問題は取り残されていたように感じます。雨宮さんの周りでは、どう受け止めていましたか。

雨宮　私の周りでは、自民党政権に戻って、みんなすごくがっかりしていました。特にあの選挙は公約の１つに「生活保護費の１割削減」が掲げられていたので、そういうことを掲げる自民党が勝ってしまう状況が怖かったのです。貧しい者は切り捨てるぞ、というメッセージですよね。そして第２次安倍政権（２０１２年12月〜14年12月）が始まってすぐ、その「公約」は果たされてしまった。

白井　僕の感覚としては、病的な右傾化が２０１２年の安倍政権以降、すごく顕在化したと感じています。それをもたらしたものとして、３・11のトラウマと不安が相当あったでしょう。言い知れぬ恐怖を味わったのですから。

地震と津波だけだったら、ここまでおかしくなってはいなかったかもしれません。日本は地震国で、幾度となく被害を受けているから、乗り越えられたかもしれない。「悲しいけれど、立ち上がろう」となった可能性があります。

雨宮　そこはやっぱり原発事故が大きかった。

白井　はい、原発事故はまったく異質なもので、すごいトラウマを国民に与えました。そのトラウマは、今でもずっと続いています。根本的な不安を抱えながら、国民のすがる先が「日本すごい教」の安倍晋三さんになった。

雨宮　地震でいくと、1995年に阪神・淡路大震災（1月17日）がありました。あの当時の総理大臣は……。

白井　1993年に細川政権（1993年8月～94年4月）ができて、自民党の1955年体制が崩れました。阪神・淡路大震災は、そのあとの村山政権（1994年6月～96年1月）の時です。まさに政界の再編期で、新政権や新政党ができては消え、くっついた。細川内閣、羽田内閣（1994年4月～6月）、村山内閣と激動期でした。

第3章でも触れましたが、ちょうどこの時期から不可逆的に投票率が落ちていくんです。世代別まではわからないですが、全体でみると55年体制だった時代の国政選挙は、投票率は70％以上が当たり前。そのころから下がり始めて、2009年の民主党政権交代時の選挙で大きく回復した。それでも7割に届いていません。

そのあとの投票率は5割前後で推移して、現在に至っています。平成から令和にかけて、人々は政治に絶望していったことになります。

雨宮　ロスジェネの絶望も深まった。

白井　民主党政権がロスジェネの政治に対する絶望を深めたことは間違いないですね。

総務省「国政選挙における投票率の推移」

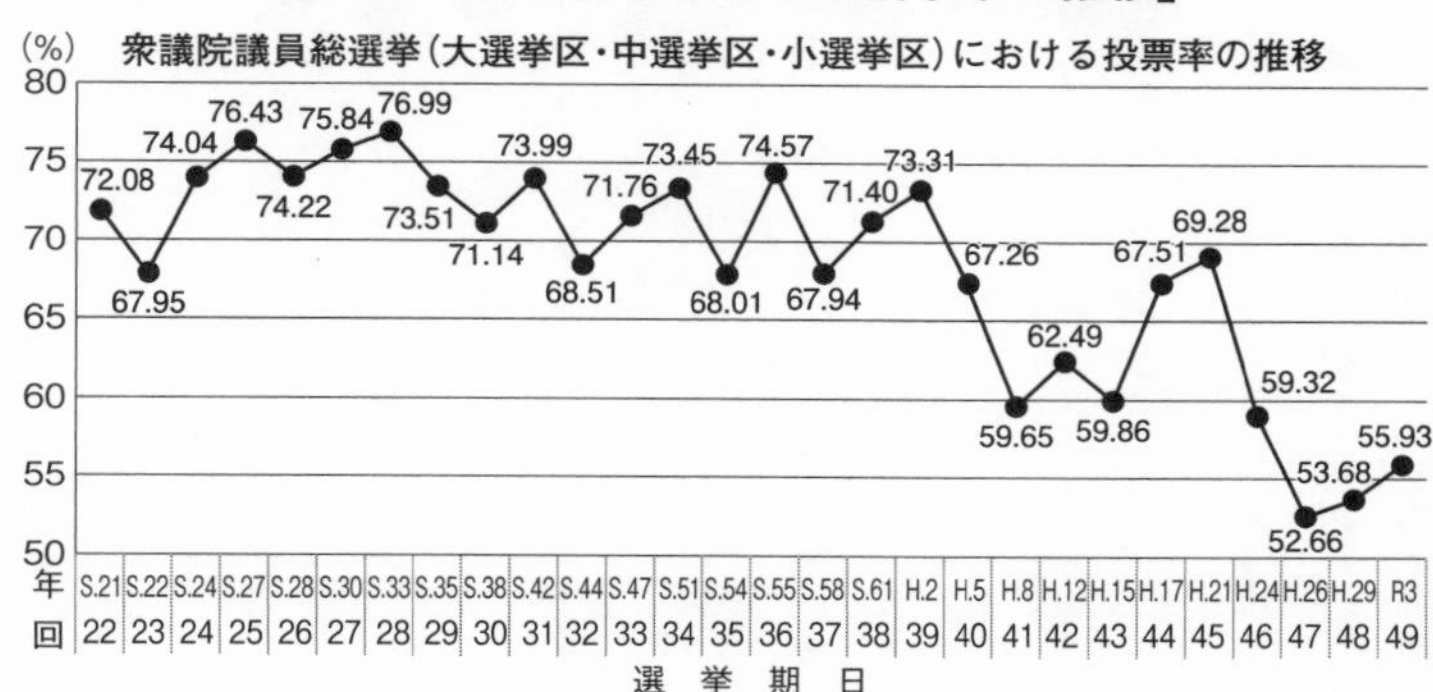

注1　昭和38年は、投票時間が2時間延長され、午後8時までであった。
注2　昭和55年及び昭和61年は衆参同日選挙であった。
注3　平成8年より、小選挙区比例代表並立制が導入された。
注4　平成12年より、投票時間が2時間延長になり、午後8時までとなった。
注5　平成17年より、期日前投票制度が導入された。
注6　平成29年より、選挙権年齢が18歳以上へ引き下げられた。

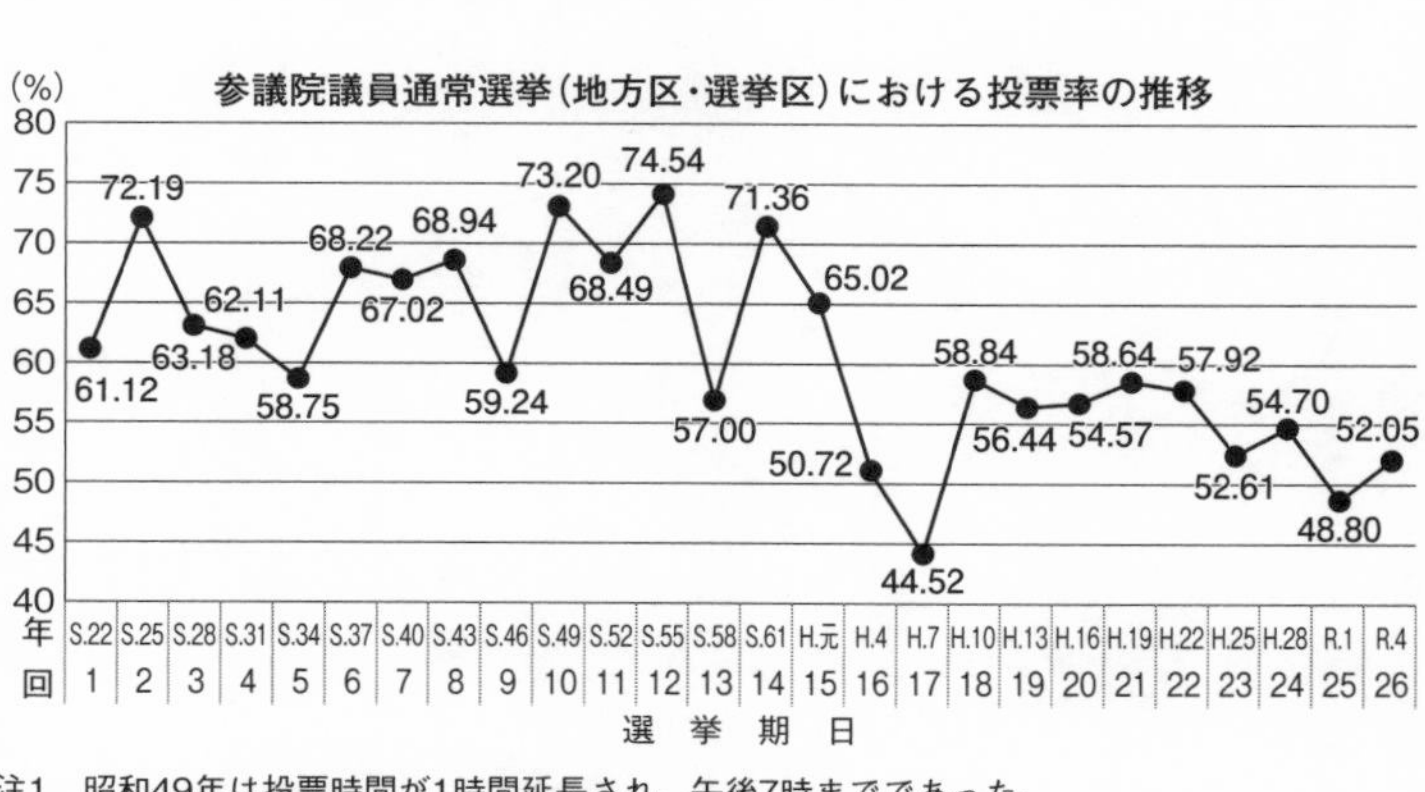

注1　昭和49年は投票時間が1時間延長され、午後7時までであった。
注2　昭和55年及び昭和61年は衆参同日選挙であった。
注3　昭和58年より拘束名簿式比例代表制が導入された。
注4　平成10年より投票時間が2時間延長になり、午後8時までとなった。
注5　平成13年に比例代表制が非拘束名簿式に変更された。
注6　平成16年より、期日前投票制度が導入された。
注7　平成28年より、選挙権年齢が18歳以上へ引き下げられた。

投票用紙を捨てていた頃

白井　雨宮さんの右翼時代の話（第3章参照）、とても興味深く聞きましたが、雨宮さんは20歳になってからすぐに投票へ行きましたか。

雨宮　行ってないです。物書きになってから投票に行き始めたので、右翼をやめたあと、25歳からです。それまでは投票用紙が来ても捨てていました。ゴミ箱に直行、迷惑なチラシと同じ感覚です。

さっきも話したように、消費者としてしか生きてないのに、突然有権者とか何事？　という感覚でした。選挙に行けと言われても、自分のようなバカが選挙に行っちゃいけないと思ってたし、当然関心もなかった。同時に、小さな頃から政治を禁止される空気がありました。若い奴が政治に関心なんか持ったら、ろくなことにならないという拒絶感。

白井　それは家庭で？

雨宮　家庭も、学校もそう。とにかく関わる大人たちから「政治だけには興味を持たないように」という空気を感じていました。

その理由に気づいたのは、20代になってからです。大人たちの政治アレルギーの背景には、連合赤軍事件（1971～72年）があったのだと。それを知る世代の「若者が政治にかぶれることから守らなければ」という強固な思いがあった。
でも、そういう中で育つと、社会への回路を閉ざされる。いろんなことを疑問に思って口にしても「社会のせいにするな」と言われるので、結局すべては自己責任になる。ロスジェネは、小泉元首相が自己責任なんていうずっと前から自己責任論を刷り込まれていたわけです。
そんなふうに政治や社会への回路を閉ざしておきながら、20歳になった途端に「選挙に行け!」と言われることに多大な違和感を持っていました。

白井 右翼の街宣車に乗っていた時期は、投票に行っていないわけですね。

雨宮 はい、行ってないです。私のいた団体は「選挙なんて意味がない!」「投票箱を燃やせ!」と言ってました(笑)。

白井 それはまた、ほとんど政治活動家の外山恒一さんのようだ。

雨宮 でも「投票に行け!」と言われて、ロスジェネはどこに投票したのか。覚えているのは2005年8月の小泉郵政選挙です。「自民党をぶっ壊す!」「既得権益を打破する!」と叫んだ小泉さんに同世代がかなり投票していて驚きました。既得権益を潰しても、絶対にフリーターやロスジェネにはなんの恩恵もないのに、勘違いさせる何かは確実にあった。

白井 2005年の小泉の郵政解散。あのときの選挙では、無党派層の存在が大きかった。

雨宮 あの時、「B層」なんて言葉もありました。自民党が発注した広告会社が小泉支持基盤として想定した層の1つで、主婦と子どもが中心でIQが比較的低くて、とか(A層[IQ高、構造改革肯定」、B層［IQ低、構造改革肯定］、C層［IQ高、構造改革否定］、D層［IQ低、構造改革否定］）。そこに、ロスジェネや非正規層はもともと想定されていなかったのに、結果的にB層的な支持をしていた。

私の友人の1人も小泉を支持して投票して、それを誇らしげに語っていて「あちゃー」と思いましたが、そういう人に対するリベラル側の反応も目に余るものが結構ありました。露骨にバカにして「馬鹿で貧乏なフリーターが小泉に入れた」「そんなバカは選挙に行くな」などと叩いた。

そうなるとますます、小泉を支持した当時の若者はリベラル嫌い、左翼嫌いになる。

白井　先ほど「消費者としてしか生きてないのに、突然有権者とか言われても」という雨宮さんの発言がありましたが、まったくその通りで、日本の若者は18歳にしろ、20歳にしろ、まともな政治教育を一度たりとも受けていません。大学でも何も教えません。そういう社会でまともに選挙とか成り立ちようがないし、現に成り立ってないんですよね。

有権者のハートを摑む〝太郎の演説〟

白井　小泉の郵政解散の状況を考えると、今だとたぶん、小泉に入れた無党派層が維新の会に入れてしまう。

雨宮　それはありますね。小泉郵政選挙の時はキーワードが大きかった。「自民党をぶっ壊す」だけでなく、「聖域なき構造改革に反対する者はすべて抵抗勢力」と大衆を煽(あお)ったわけです。そうして公務員労組の既得権益などを強調した。「反既得権益」という姿勢に、フリーターは「甘い汁を吸っている安定した正社員を落として、自分たちを上げてくれる」というメッセージを勝手に受け取った。そんなこと、小泉はひと言も口にしていないのに。

白井　ロスジェネ世代の投票行動については、マクロなデータを見ればだいたい、雨宮さんの指摘で合っていると思われます。自分たちを殴りつける相手を進んで選ぶような発想をして、投票行動してしまう。大学で教えていても如実にわかることです。

雨宮　今の若者もそうですか。

白井　政治教育の不在は、我々の時代よりもっと悪くなっているでしょう。ですから、どこの誰に一票投じるのか、「自分自身の利害を誰が代表してくれるのか」という最も基礎的な視点すら生じないわけです。高邁(こうまい)な公共心で支持政党を決めなさいなんて話をしているわけでなく、自分の利害やエゴイズムだけで投票先を決めていいのですが、今は、そのエゴすら壊れているのが現実です。

雨宮　ああ、そうなんですね。ちなみに小泉は既得権益など敵をつくるのがうまかったですが、小泉以降、政治の世界ではずっと「誰かが得をしてる！」「あいつらがズルをしている！」という形で敵が名指されています。それが公務員バッシング、生活保護バッシング、在日特権バッシングなどにつながっている。どれも根は同じです。
維新の会は特に、それが顕著ですよね。「こいつらが怠けて楽してズルして俺たちの税金をかすめ取っている」というようなことをぶち上げる。そうすると、今、不遇な状況にいる人たちは「こいつらが悪いんだ！」となる。
物事はそんなに単純ではないし、例えば生活保護にしても、生活保護費が下がったら最低賃金が上がりづらくなるとか生活保護を基準としたいろんな制度に影響するので一般世帯の生活が苦しくなるとかいろんな分野に及ぶのに、そこまで考えず、「あいつらが悪い！」となる。ものすごく単純化、短絡化されて、結局祭りのように盛り上がって終わる。
こうした構図は小泉時代から、まったく変わっていません。こうした状況を変えていく手立てがあるのかどうか。
白井 やっぱりそこは山本太郎じゃないですか。
雨宮 太郎さんか。
白井 ロスジェネの目を覚まそうと、あれだけ街宣活動をしているし、炊き出しも雨宮さんたちと一緒にやっている。
雨宮 キャッチコピー、メッセージの出し方、有権者の心を摑む演説は、太郎さんは本当にうまいですよね。

もはや焦土からの再出発しかない？

雨宮　白井さんは直近でどういったテーマ、問題意識をお持ちですか。

白井　僕としてはやっぱり、戦争のことが気になります。

少し前にさる有名な自民党の政治家にお会いする機会があったので、ずばり聞きました。「これから日本はどうするんですか？　このままだと大軍拡で、ウクライナのような役割を日本がアジアで背負うことになりますよ」と。

その政治家、なんと答えたと思いますか。「まったく白井さんの言う通り。現状認識において、ほぼ一致しています」「だったら、どうするんですか」「どうしようもありません。焼け野原になって、そこから再出発するしかない」と。

雨宮　そんな！

白井　もはや政権与党の側にいる人間が、もう投げやりになっている。自民党内で比較的きちんと頭が働いている人たちは、そうした境地になっているようです。こうした話を耳にすると、「これからの日本は厳しい」としか思えません。

雨宮　そうなると、よりファシズムが登場しやすい状況になりますね。

白井　すでに十分にファシズムではないでしょうか。おそらく21世紀のファシズムはヒトラーとかムッソリーニみたいなカリスマを要しないのだと思います。

とはいえ、安倍さんはあれだけの権力構造を作り出すことにおいて、余人を持って代え難いキャラクターでした。安倍さん以降、その権力構造と体制が固まったので、あとは誰が上にいても同じです。防衛費のGDP2%の話も、もともと安倍さんがぶち上げたことですから。

岸田さんはさすがに無茶なことはしないだろうと思いきや、結局やった。しかも言い出した安倍さんはこの世にいない。これからは誰だっていい。そうした流れにまで来ています。

雨宮　むちゃくちゃヤバい。

白井　こうした自民党政治に対して、どう有効な抵抗組織がつくれるのか。ここは今後の日本の大きなテーマですが、どう思われますか。

雨宮　そういうことについてはコロナ禍のこの3年、正直考える余裕がない状況です。目先の活動で精いっぱいで、先のことを考えている余裕がない。

支援者たちはみんな「コロナ禍の3年、現場はどこも野戦病院状態」と言っています。今届いているSOSの声をどうするのか。誰がサポートを担当するのか。みんなそうした支援をしながら、政府や東京都と交渉したり、申し入れをしたり、現状を伝える資料を作ったりしています。長期的な展望を考える余裕すらない状態が、ずっと続いています。

そのこと自体、すごく危険だと感じますが、今の状況だと目標も立てられない。それが怖い。

白井　こうした現実を、とくに自民党の議員は見ようとしない。公明党も貧困層を支持基盤としていると言われてきた割には、この間連立政権をリードして脱貧困政策を進めるようなことは何もしていないですね。

雨宮　だからこそ、政策提言は必要ですし、私たち支援団体も重ね重ね同じことを訴え続けています。

恒久的な家賃補助制度はその１つです。また外国人への公的支援が何もないので、それも訴えています。住まいを失った人への住宅提供や生活保護制度をもっと使いやすくすることなど、要求は無数にあります。現場にいるからこそ見えてくるものです。

野党よ、ロスジェネの代弁者たれ！

白井　防衛費増額の問題を第４章で、「金太郎飴」「腹話術の人形」と言いました。

雨宮　安倍、高市、岸田。

白井　そこで想像してみたい。仮に今の首相が枝野幸男さんだったら、アメリカからの要求をはね返すことできたのか。泉健太さんだったら、防衛費の大増額はなかったのか。僕はまったくそうは思えません。

野田佳彦政権（２０１１年9月～12年12月）は、武器輸出三原則を撤廃する方向に舵を切りました。集団的自衛権の行使容認も、野田政権下ですでにその方向性が出ていた。で、今の立憲民主党は、野田氏や彼の時代の民主党を支えた面々を重用しています。だから、立憲の中央部も実は、自民党と同じ金太郎飴、腹話術の人形です。

2021年の衆院選で立憲民主が敗れ、枝野さんが敗北の責任をとって代表をやめました（泉健太が立憲民主党代表に）。それからこの党がどうなっていくのか。共産党など野党共闘路線でいくのか、共闘路線を完全に捨て去り、維新の会と組んで与党の補完勢力になるのか。

総選挙の後、僕はそのどちらとも違う「第三の道」を予想しました。維新の会と共産党のあいだをフラフラする。肉だが、魚だか、よくわからない。

そしてここ最近、立憲民主の腹が決まってきたように見えてきた。維新の会、さらには自民党とも接近して融党（融和）路線でいく。それを象徴したのは、野田さんの国会での安倍追悼演説（2022年10月25日、衆議院本会議）です。センチメンタルなだけで、中身のまるでない演説でした。

雨宮　かなり「安倍さんヨイショ」の内容でしたね。

白井　あの追悼演説は、国民受けが良かった。とりわけ自民党支持層の受けが良かった。そのご褒美で野田さんは、月刊『ＨＡＮＡＤＡ』（飛鳥新社、2023年1月号掲載、野田佳彦「安倍さんがいたから今の私がある」）に出してもらった。立憲民主党の大幹部がですよ。

雨宮　えー、そうだったんですか！

白井　だから、立憲民主党はもうおしまい。解体してしまったほうがいいです。

となると、れいわ新選組に期待するしかない。山本太郎を押し上げるために、さまざま陰謀をめぐらせ、成就させたいわけです。

雨宮　陰謀って（笑）。でもロスジェネの私もあと2年で50歳です。20歳から50歳までが「失われた30年」とかぶると、本当に悲惨なことになります。

白井　たしかにこんな悲惨な世代はいないです。しかもロスジェネは数が多い。

雨宮　結婚してない。子どももはいない。安定した職もない。ずっとアルバイトで、月収15万円を超えたことのない人が周りにもいっぱいいます。

貯金もない。持ち家なんて夢のまた夢。学生の時から同じアパートにずっと住んでいればまだマシで、学生時代から、どんどん生活がランクダウンしている人が多い。ずっと非正規で、一度も「社会人」として一人前の扱いを受けたことがない層がいる。

ロスジェネの親世代である団塊の人たちは50歳の時、いろんなものを持っていたはずです。正規の職を持ち、家庭を持ち、子どもがいて、ローンを組んで家を建てられた。その子どもたちは今、50歳近くなっていますが、非正規であれば当然ローンなんか組めません。

それどころか、非正規という理由で賃貸物件の入居審査で落とされる。私もそうです。これまで大丈夫だったのに、保証人の父親が65歳を過ぎたら落とされた。私が20年以上、物書きとしてやってきたことなどなんの社会的信用にもならず、父親の信用だけで賃貸物件を借りられていたのが、65歳になった途端、父に保証人の資格がなくなり、賃貸物件を借りることも難しくなったんです。

ロスジェネの多くは、安定層には決して見えない壁にぶつかっています。もう30年も。

政治家には、そういう現実を知ってほしい。

ロスジェネの太郎さんもあと1、2年で50代を迎えます。こうしたロスジェネの現実を、もっともっと訴えてほしい。ロスジェネの問題を全面に出していってほしい。この問題について今、いちばん考えている国会議員は、太郎さんだと思うから。

白井　今の日本の政治情勢を考えると、れいわ新選組にとって本来出てくるべき票田がありま す。ロスジェネ層です。しかも組織に属していない「未組織者」であり、ここが本来もっと票になるべき層です。それが政治を動かす力として出てきていません。

雨宮　投票率も低い。

白井　この票田をどう開拓するのか。れいわ新選組の支持を広げるために、大きなポイントになります。票田を開拓するためには、未組織者を組織することが第一です。最初にれいわ新選組が旗揚げした時、候補者になったコンビニのオーナー店長が激怒していたじゃないですか。

雨宮　フランチャイズのオーナー。

白井　コンビニのフランチャイズシステムに苦しめられているオーナーが声を上げ、注目が集まった。こうしたコンビニのオーナーはたくさんいて、それが全国組織「コンビニ加盟店ユニオン」を生む原動力になりました。

そうした発想が、政党の側にもっとあって然るべきです。それをいろんな業界でやっていけば、これまで投票に行っていなかった人たちの拠り所になります。こうした展開や策略が、政治を変えるためにはもっと必要でしょうね。

ロスジェネよ、今こそ怒りの爆発を！

白井　ロスジェネ世代として、政治に対しては本当に頭にくることばかりです。その怒りを、点火させないといけません。

ツイッターで最近、すごい書き込みを読みました。どこかの市役所だったか公的機関が、ロスジェネ世代限定で職員を募集した。募集枠数人のところに、数百人と応募がきた。虚しくなるし、すごく不条理な感じがしませんか。

雨宮　今さら感がどうしても。

白井　「そんなお情けをかけられても遅いわ！」としか思えない。ロスジェネをさらに踏みにじっているとしか感じられません。

雨宮　そのツイッターは、どんな書き込みですか。

白井　自治体雇用のニュースを引用して、呟いている人がいたんです。まさにロスジェネ世代で、「自分たちの世代はもう歳も食ってダメだから、そのリソースをこれからの若者や子どもたちに回してほしい」。

これを読んで「負けんなよ！」と心のなかで叫びました。呟いたその人は、優しくて立派です。だけど、そこまで人間優しくて、立派になる必要はない。諦める前に一度、己の怒りを爆発させる権利があるはずです。

ロスジェネ世代に体力があるのは、今のうちですよ。50代を迎え、初老にさしかかり、すぐに衰えがきてしまう。ロスジェネは今すぐ怒らなければいけないし、諦めていたら、間に合わなくなります。

ロスジェネの怒りにどう耳を傾け、選挙の場で吸収し、政権与党と闘っていくのか。そこが野党に課せられた課題じゃないでしょうか。

雨宮 そのためにも、50代という大台を1つの契機にして、再びロスジェネ運動を盛り上げたいですね。

白井 そう思いますね。脅しめいたことは言いたくありませんが、山上徹也が起こした事件にせよ、宮台真司氏の襲撃事件にせよ、ロスジェネ世代の爆発が現に起きてきています。このままならば、この手の事件はますます増えていくでしょう。

それを防ぐためには、もう待ったなしなのです。もっと正確に言えば、爆発を正常な回路に流し込まなければならないということです。

あとがき

白井聡

どうにもこうにも暗い話が多い対談になってしまった。しかしながら、対談中、私たちはいつも朗らかに会話し、爆笑の渦に包まれることが何度もあった。我ながら「なぜだろう」と訝しく思う。ロスジェネには希望が見出せないという話ばかりしているというのに！

そう、雨宮処凛という人は、いつでも楽しい人なのだ。本書のゲラを校正している期間中に、別の仕事の機会があり雨宮さんに会った。そのとき彼女がフト呟いた。

「私にも普通の人生があったのかもしれないのよね……」

思わず、身を乗り出して訊いた。「〈普通の人生〉ってどんな人生ですか？」

雨宮さんはこう答えた。

「う〜ん、地元（北海道滝川市）で自衛隊員と結婚して、子どもを産んで、みたいな……」

本書のなかでも語られているが、雨宮さんの出身地には陸上自衛隊の大きな駐屯地があるので、自衛官と家庭を築く人が多いのだそうだ。だから、彼女にとっての「普通の」「標準的な」人生のイメージは、自衛官と所帯を持つというものなのだろう。

が、その後すぐ、雨宮さんはこう言葉を続けたのだった。

「でも、その場合年代的に亭主はイラクに派遣されちゃうだろうなあ。そしたら〈ふざけんな〉って話になって、反戦運動することになるでしょ。で、やっぱり今ここにいることになる！」

「結局同じじゃん！」と私たちは異口同音に叫んで、その場は爆笑に包まれた。

けれども、この発言は面白いだけではない。

ルイ・オーギュスト・ブランキ（1805～81）という伝説的なフランスの革命家がいた。19世紀フランスのあらゆる革命に参加し、生涯のうち収監されていた期間は33年間に及んだ。「プロレタリア独裁」の理念の発明者だと言われることもある。

そのブランキが晩年獄中で著したのが『天体による永遠』という書だ。岩波文庫にも収められている同書は、一種の奇書として知られる。そこでブランキは、当時の天文学の標準理論であったラプラスの理論を参照しながら独自の宇宙論を展開した。

ブランキの達した結論は恐るべきものだった。それはフリードリヒ・ニーチェの「永劫回(えいごうかい)

帰」の観念を先取りしているとも評価されるものなのだが、ブランキは宇宙を構成する元素の有限性と宇宙の時空の無限性から、すなわち、無限を満たすものは有限の事物であるという考えから、こう結論する。「宇宙は限りなく繰り返され、その場その場で足踏みをしている。永遠は無限の中で、同じドラマを平然と演じ続けるのである」と。つまり、ブランキの失敗した蜂起も、生涯の半分に及んだ幽閉もすべて無限に繰り返される、というのである。

雨宮さんの言葉を聞いたとき、このブランキの思想を私は不意に思い出したのだった。そしてそこに、真に力強い自己肯定が鳴り響くのを私は聞いた。「私はこのようにしか生きられないし、何度生まれ変わってもこのように生きる」と。

私たちロスジェネに希望があるとすれば、この精神態度にこそある、と私は思う。私たちは、日本の超長期経済停滞のみならず、社会全体の閉塞・停滞の割を食わされ、自己責任論でがんじがらめにされてきた。さらには悲惨な老年時代を迎えることも、本書で論じてきた通りだ。おそらくは、そんな私たちを自ら憐れんだり、他の世代から憐れんでもらうことを望んだりするよりも、そんな私たちを肯定することが必要なのだ。不運だろうが、お先真っ暗だろうが、私たちは私たちの一度きりの生を生き切るしかないのだ。その覚悟を決めるとき、無力な私たちから離脱する力が私たちの内側から湧いてくるはずだ。

雨宮さんは、そのような力を全身から発散させている人だ。だから、一緒に居て楽しくなるし、一緒に何かをやりたい、と思わされる。右翼パンク歌手から優れた社会活動家へと生成した雨宮さんの豊富な知識には、本当に感嘆させられる瞬間が多かった。これから一体何をともにできるのだろうかと思うと、こんな絶望的状況にあっても、私はワクワクするような気持ちを抑えられないのである。

本書が成るきっかけを与えてくれたのは、元衆議院議員の辻恵弁護士であった。まさに無私（むこ）の精神でこの国を改革しようと東奔西走している辻さんの精力には、日頃から驚嘆するばかりだ。有意義な時間を過ごさせてもらったことに、心から感謝いたします。

2023年4月

［著者略歴］

雨宮処凜（あまみや・かりん）

1975年北海道生まれ。作家・活動家。

フリーターなどを経て2000年、自伝的エッセイ『生き地獄天国』（太田出版/ちくま文庫）でデビュー。2006年からは貧困問題に取り組み『生きさせろ! 難民化する若者たち』（2007年、太田出版/ちくま文庫）でJCJ賞（日本ジャーナリスト会議賞）を受賞。著書に『非正規・単身・アラフォー女性』（光文社新書）、『相模原事件裁判傍聴記 「役に立ちたい」と「障害者ヘイト」のあいだ』（太田出版）、『学校では教えてくれない生活保護』（河出書房新社）など多数。

白井聡（しらい・さとし）

1977年東京都生まれ。思想史家、政治学者。京都精華大学教員。

早稲田大学政治経済学部政治学科卒業。一橋大学大学院社会学研究科総合科社会科学専攻博士後期課程単位取得退学。博士（社会学）。著書に『永続敗戦論――戦後日本の核心』（講談社＋α文庫、2014年に第35回石橋湛山賞受賞、第12回角川財団学芸賞を受賞）をはじめ、『未完のレーニン――＜力＞の思想を読む』（講談社学術文庫）、『国体論――菊と星条旗』（集英社新書）、『武器としての「資本論」』（東洋経済新報社）など多数。

＜特別協力＞辻恵（つじ・めぐむ）

雨宮処凜氏と白井聡氏の活動に共鳴。1948年京都市生まれ。東京大学法学部卒業。弁護士。多田謡子反権力人権基金運営委員長。10.8山崎博昭プロジェクト事務局長。2003年から衆議院議員を2期務める。

失われた30年を取り戻す

2023年６月14日　第１刷発行

著　者　　雨宮処凜　白井 聡
発行者　　唐津 隆
発行所　　株式会社ビジネス社

〒162-0805　東京都新宿区矢来町114番地 神楽坂高橋ビル5階
電話　03(5227)1602　FAX　03(5227)1603
https://www.business-sha.co.jp

〈装幀〉大谷昌稔
〈本文組版〉茂呂田剛（エムアンドケイ）
〈印刷・製本〉大日本印刷株式会社
〈営業担当〉山口健志
〈編集担当〉前田和男（同文社）

©Amamiya Karin&Shirai Satoshi 2023 Printed in Japan
乱丁、落丁本はお取りかえします。

ISBN978-4-8284-2521-4

ビジネス社の本

おひとりさまの逆襲

安心して認知症になれる社会に向けて今すべきこと

定価1650円(税込)
ISBN 978-4-8284-2516-0

上野千鶴子
小島美里
……著

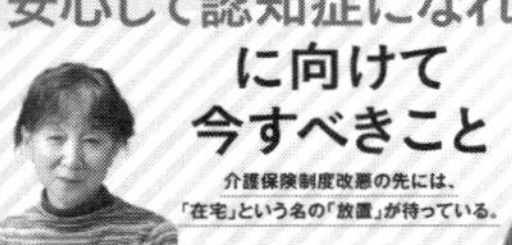

幸せな「在宅ひとり死」ができる社会を目指す

介護保険制度改悪の先には、
「在宅」という名の「放置」が待っている。
『団塊世代の2025年問題と介護保険の危機』
配偶者にも子どもにも頼らず自分らしい
最期を迎えるために「元祖おひとりさま」の社会学者と
介護事業27年の現場のプロが徹底討論!

本書の内容